TERUG NAAR BOLOGNA

Van Michael Dibdin verschenen eerder bij uitgeverij Atlas:

Het stervende licht
Duister visioen
Thanksgiving

Aurelio Zen-thrillers:
De rattenkoning
Vendetta
Moord in het Vaticaan
De dode lagune
Cosi fan tutti
Een goede afdronk
Bloedregen
En dan sterf je
Medusa

MICHAEL DIBDIN

Terug naar Bologna

Een Aurelio Zen-thriller

Vertaald door Irene Ketman

Uitgeverij Atlas
Amsterdam/Antwerpen

Oorspronkelijke titel: *Back to Bologna*
Oorspronkelijke uitgave: Faber & Faber Ltd., Londen

Omslagontwerp: Studio Jan de Boer
Omslagillustratie: Corbis

ISBN 90 450 1483 1
D/2005/0108/621
NUR 305

www.boekenwereld.com

'Iemand zou hem moeten vermoorden.'

Bruno reageerde niet.

'Nou ja, dat meen ik natuurlijk niet echt,' ging Nando verder.

'Niet letterlijk.'

'Nee.'

'Zoals de doodsteek geven.'

'Bijvoorbeeld.'

'Je bedoelde het zinnebeeldig.'

'Uh..., ja.'

'Toen mijn cliënt zei "Iemand zou hem moeten vermoorden" was dit geheel en al eufemistisch bedoeld, veeleer nog parabolisch.'

'Klopt. Kijk, als die zelfingenomen gladakker nou eens gewoon zou doodvallen...'

'Wat God verhoede.'

'... dan zouden al onze problemen opgelost zijn.'

'Wie zegt dat? De volgende zou nog veel erger kunnen zijn.'

'Erger dan Curti? Je maakt zeker een geintje.'

'En bovendien neem jij aan dat iemand die bij zijn volle verstand is, bereid zou zijn om een club te kopen waarvan de helft van de spelers helemaal of op deeltijdbasis is uitgeleend of verhuurd aan andere teams en de rest aan het eind van het seizoen wordt verkocht om het begrotingstekort te dekken. Het zou jaren kosten, om maar te zwijgen van bakken met geld om *i rossoblù* weer op poten te krijgen.'

'Oké, laat die hartaanval dan maar even zitten en vergeet

de beroerte. Maar wat dan? Nog een seizoen zoals dit en ik ga...'

Nando hield zijn mond toen het licht van de autokoplampen op een stel zwarte prachtbenen viel, dat was uitgestald tot aan de witzijden driehoek van het kruis.

'Houd je ogen op de weg,' zei Bruno knorrig.

'Fuck, man.'

'Met haar? Meteen.'

'Of hem.'

'Wat maakt het uit, met zúlke benen. God, wat verveel ik me.'

Nando zette de radio weer harder.

'... creëerde enkele fraaie kansen, vooral in de tweede helft, maar dit accentueerde slechts het punt waarover de Bologna-fans al het hele seizoen, nee, al vele voorgaande seizoenen, spreken; namelijk het ontbreken van een spits van wereldklasse, die de vele kansen die nu verknoeid worden verzilvert en de bal in het net legt. De voorzet vanuit de vleugels en het middenveld is altijd solide en soms geïnspireerd, maar wanneer het op afmaken aankomt, is het week na week hetzelfde droeve verhaal...'

Bruno geeuwde nadrukkelijk.

'En, hoe gaat het met de kinderen?' vroeg hij, het volume reducerend tot een klaaglijk gejengel.

'Ze maken het allemaal goed, behalve Carmelo. Hij heeft een soort woekering op zijn ribben, net onder de vleugel. Hij schijnt er last van te hebben, want hij blijft er maar aan knauwen.'

'Kun je er geen verbandje of zoiets om doen? Of hem gewoon vastbinden tot het genezen is?'

Ze reden langs een vreemde verhevenheid in dit tweedimensionale landschap, een van de enorme tumuli waar de vuilnis van de stad begraven lag en haar brandende gassen voor een eeuwige vlam zorgden.

'Ze worden gek als je ze in hun bewegingen belet. Ik ga morgen met hem naar de dokter. Hij heeft antibiotica nodig.'

'Tegenwoordig zeggen ze dat je daar voorzichtig mee moet zijn. Het vermindert je weerstand tegen griep of zo.'

'Vogels krijgen geen griep.'

'Mooi wel. Herinner je je die Chinese kippenpaniek nog?'

'Carmelo is geen kip.'

Nando was een knappe bink uit een dorp in de Abruzzen, waarvan Bruno nooit eerder had gehoord, wiens nieuwste tot mislukken gedoemde droom bestond uit het bemachtigen van de Gallardo coupé (10-cilindermotor, 500 pk, 300 km/h) die Lamborghini onlangs aan de *Polizia di Stato* had geschonken voor wederzijdse pr-doeleinden. Hij had de bouw van een worstelaar, een nette zwarte baard en een beminnelijke doch vage glimlach. Om wat voor reden ook had hij zich in de echt laten verbinden met een broodmagere, neurotische helleveeg uit Ferrara. Waarschijnlijk ter compensatie van het feit dat hun huwelijk kinderloos was en zou blijven, hield het echtpaar in zijn driekamerflatje alles bij elkaar elf papegaaien en kaketoes. De vogels kwamen op je schouder zitten, knabbelden aan je oor en scheten op je jasje. Het hele huis stonk. Bruno had er 's avonds gegeten. Eén keer.

Nando en hij waren op de terugweg naar het hoofdbureau, nadat ze naar de plaats delict waren geroepen van wat een inbraak zou zijn in Villanova. De melding kwam van een sluw-agressieve elektricien wiens vrouw hem onlangs had verlaten, met medeneming van hun zoontje van zes, om weer bij haar moeder te gaan wonen. Hij beweerde dat hij bij thuiskomst van zijn werk het appartement vrijwel compleet leeggehaald had aangetroffen. Alleen de muurvast zittende wasmachine stond er nog. Aangezien het door hemzelf geïnstalleerde alarmsysteem niet was afgegaan, kon het niet anders of zijn ex, die de deactiveringscode kende, was de schuldige.

Het had meer dan drie uur gekost om de verklaring van de man op te nemen en zijn buren te ondervragen; geen van allen was iets opgevallen wat niet klopte. Bruno verdacht de elektricien er ernstig van het huis in de loop van enkele dagen zelf te hebben leeggehaald en de spullen onder valse naam ergens opgeslagen te hebben en dat hij nu formeel een *denuncia* deed om een schadeclaim te kunnen indienen bij zijn verzekering en ervan verzekerd te zijn dat de 'ondankbare trut' die zijn leven tot een hel had gemaakt het nu op haar beurt voor haar kiezen kreeg. Voor de politie kwam de kwestie vrijwel zeker neer op tijd verknoeien, want ze vergde pakken ingevulde formulieren, geschreven rapporten, uitvoerig contact met de autoriteiten in Ferrara en het zou nooit ergens toe leiden.

Het maakte Bruno niets uit, ook al had hij door zijn avonddienst de derby van FC Bologna in Ancona gemist. Deze wedstrijd had eigenlijk vlak voor de kerst gespeeld moeten worden, maar hij was indertijd afgelast en uitgesteld omdat supporters het veld op renden. Bruno was verveeld, hongerig en moe en blij dat zijn dienst erop zat zodra ze terug waren op de *questura*. Maar op een dieper niveau voelde hij zich nog steeds gelukzalig, al waren er inmiddels maanden verstreken sinds de voltrekking van het wonder dat zijn 'tropendienst' in het verre noorden van het land er plots op zat en dit hem terugbracht naar Bologna. Met het verlaten van zijn geboortestad was de jonge politieagent opgehouden met naar de mis gaan, maar recentelijk had hij enkele bezoekjes gebracht aan de San Domenico, zijn buurtkerk. En iedere keer had hij voor tien euro lange, dunne votiefkaarsen aangestoken voor een beeltenis van de heilige Domenico in een kapel waar de echte, zoetgeurende kaarsen van bijenwas nog niet, zoals tegenwoordig heel dikwijls, waren vervangen door de elektrische lichtjes van gegoten plastic die Bruno altijd deden denken aan een speelautomatenhal. Misschien was het wel voor vijftien euro geweest de eerste keer. In elk geval had hij er tenminste voor betaald, anders dan sommige mensen – vandaar de muntautomaatreplica's.

Op rationeel niveau wist hij natuurlijk precies hoe zijn vervroegde terugkeer uit de Duitstalige regio Zuid-Tirol tot stand was gekomen. Toch deed dit geen afbreuk aan het feit dat er absoluut ook een wonder in het spel geweest moest zijn. Want hoe waarschijnlijk was het alles welbeschouwd geweest? Ten eerste wordt die hoge piet van Criminalpol in Rome, die Aurelio Zen, naar Bolzano gestuurd op een duistere missie met belangrijke politieke ramificaties, waarvan Bruno de precieze aard nooit begrepen had. Ten tweede wordt hij, Bruno, aangewezen om de afgevaardigde van het ministerie, of wat hij ook mocht zijn, naar een door de wind geteisterde herberg te rijden aan een achterafweg naar Cortina op een desolate pas hoog in de bergen. Ten derde, als zijn passagier op stap is met een jonge Oostenrijkse getuige om zijn onderzoek voort te zetten en hij, Bruno, gedurende de rest van de dag vastzit in voornoemde herberg, stort hij ten slotte in onder de sombere wolk van lompe stilte en de blikken vol haat die de inboorlingen op hem werpen, en uiteindelijk gaat hij volledig door het lint in een café dat Zen en hij op de terugweg aandoen en schreeuwt strafbare, agressieve beledigingen naar de gedrongen, koppige Teutoonse zulthoofden die zijn leven en dat van al zijn mederekruten maandenlang tot een doffe ellende hebben gemaakt. Ten vierde, in plaats van een aanklacht tegen hem in te dienen wegens uitgesproken onbehoorlijk gedrag dat tot ernstige beroering had kunnen leiden in een streek die berucht staat om zijn politieke gevoeligheden en separatistische aspiraties, biedt deze vice-*questore* Zen zomaar uit zichzelf aan dat hij zal proberen om Bruno met onmiddellijke ingang weer overgeplaatst te krijgen naar Bologna, niettegenstaande het feit dat hij het hier officieel nog ruim drie maanden zou moeten uitzitten. Ten vijfde, en dit is nog het onwaarschijnlijkste: zijn weldoener doet wat hij belooft. Zeg nou zelf, als dat geen wonder was.

De twee politieagenten namen de kortste weg terug naar het centrum van de stad. Ze reden over de rijksweg die parallel loopt aan de autostrada A14 vanaf Ancona en de Adriatische kust en zich door de lelijke slaapsteden ten noorden van Bologna windt om weer aan te sluiten op het ruggenmerg van de A1. Er was weinig verkeer, dus toen een gigantische achttienwieler hen agressief inhaalde door het oranje licht op een kruising te negeren was dat niet niks.

'Die klootzak grijpen we,' zei Nando en hij stak zijn hand al uit naar de sirene en de lichten.

Bruno legde een hand op zijn arm.

'Rustig aan. Er staat een Duitse naam op de voorkant en de aanhanger heeft Griekse nummerborden. Waarschijnlijk is hij vanuit Bari onderweg naar het noorden, staat hij strak van de amfetaminen en is hij op de autostrada van de weg gegaan om in zijn persoonlijke behoeften te laten voorzien door een collega van die jeugdige schoonheid die wij daar zonet zagen. Ik erken dat hij schaamteloos onbeleefd jegens ons was, maar wil jij vanavond echt uren overwerken om een tolk te vinden, het consulaat dat erbij betrokken is bellen en daarna het zaakje afhandelen met de advocaat die door het bedrijf waar de chauffeur werkt in de arm genomen wordt? En dan zwijg ik nog maar van de hele papierwinkel. We hebben genoeg ergernis gehad voor één dag.'

'Oké, oké.'

Nando klonk geïrriteerd.

'Maar over Curti heb je gelijk,' voegde Bruno er verzoenend aan toe.

'Die stinkende *parmigiano*! Voor hem is Bologna niet meer dan een blits statusspeeltje, zoals zijn jachten en zijn hoeren en zijn villa in Costa Rica. Het enige dat hij niet kon kopen was de club uit zijn eigen stad. Sorry, Lorenzino, FC Parma is niet te koop. Geen probleem, hij springt gewoon in zijn Mercedes, passeert een paar afslagen op de A1 naar het zuiden en koopt de rood-blauwen. Maar wíj kunnen hem geen barst schelen!'

'Klopt. De supporters zouden hem bijna alles behalve dat vergeven, maar het ontbreekt hem aan passie, aan echte betrokkenheid.'

'En vooral aan geld.'

Bruno gaapte weer en staarde zonder iets te zien naar de keurige rijen identieke, zes verdiepingen tellende flatgebouwen die nu als dozen op een lopende band langs de auto schoven.

'Nou, op dat gebied heeft hij problemen.'

'Hoe bedoel je?'
'Dat belastingschandaal.'
'Het zou wat! Waarom zou hij de club met zich mee de ondergang in trekken? En nu wordt er gezegd dat de helft van de sponsors zich gaat terugtrekken uit smetvrees, voor het geval de zaak ooit voor de rechter komt.'
'Wat niet zal gebeuren.'
'Tuurlijk niet, maar daar hebben wij niets aan. Het kwaad is al geschied. Wij zijn gewoon...'
Op dat moment zagen ze de aan de kant van de weg geparkeerde auto staan met zijn knipperende alarmlichten. Nando trapte hard op de rem, maakte een gecontroleerde schuiver naar rechts en kwam achter de auto tot stilstand.
'Hier wordt gepijpt,' zei hij.
'Of hij heeft panne,' antwoordde Bruno. 'Ik ga even kijken.'
Hij stapte de ijskoude februarinacht in. Op de een of andere manier leek de kou hier kouder dan in Bolzano, straffer en meedogenlozer naar zijn gevoel. Misschien was het de vochtigheid die vanuit de Po-delta tot hier doordrong, dacht Bruno. Of, en dat was aannemelijker, de vervuiling. In het noorden bedroeg de gemiddelde wintertemperatuur ruim tien graden minder dan hier, maar de lucht daar was wel kurkdroog en kristalhelder. Ach, nog even en dan was het lente én hij was thuis. Dat was de hoofdzaak.
Het fout geparkeerde voertuig was een blauwe Audi A8 luxury saloon. Automatisch noteerde Bruno het kenteken. Meer kon hij ook niet onderscheiden in het schijnsel van de koplampen van de politiewagen achter hem. Door de hoofdsteunen op de voorste stoelen kon hij onmogelijk zien of zich iemand in de auto bevond. Bruno liep naar de passagierskant en gluurde door het raam naar binnen, waarna hij hard tegen het glas tikte. Er zat een man op de bestuurdersplaats, maar hij reageerde niet en het portier zat op slot.
Bruno zou net een lantaarn uit de politiewagen gaan halen, toen de lichtbundels van een uit tegenovergestelde richting naderende bestelbus het interieur van de Audi in licht

deden baden. De belichting duurde slechts enkele seconden, maar ze volstond. De chauffeur van de Audi zat heel stil. Zijn gezichtsuitdrukking suggereerde dat hij zijn best deed om zich te kwijten van een onbeduidende maar onmogelijke taak, zoals het uitspinnen van een 'plof-p' tot een lange, wegstervende zucht.

Bruno ging een eindje bij de auto vandaan staan en deed een radio-oproep. Hij sprak weinig maar luisterde aandachtig terwijl hij zijn linkeroor afdekte tegen het gebulder van het verkeer in de schuin liggende bocht in de autosnelweg boven hem. Toen hij terugliep naar de politiewagen verried zijn gezicht niets.

'Het is geen Merc,' zei hij, toen hij rillend het portier dichtsmeet.

Nando keek hem achterdochtig aan.

'Ik weet dat het een Audi is. Wat maakt het uit?'

'Ons gesprek van daarnet?'

'Over Curti?'

Bruno keek hem niet aan, hij zat alleen maar voor zich uit te staren naar de blauwe Audi saloon.

'Zwijg erover, meer niet. Wanneer ze hier aankomen.'

'Wanneer wie hier aankomt?'

Bruno sloeg met open hand hard op het dashboard.

'Wij hebben het nooit over dit onderwerp gehad, oké? Wij geven geen moer om voetbal.'

'Maar dat is het enige wat mij een moer kan schelen! Dat en mijn vogels. O, en Wanda natuurlijk.'

'Is dat een nieuwe aanschaf?'

'Wanda is mijn vrouw!'

'O, ja.'

Ja! Werkte als persoonlijk medewerker van een advocaat in het centrum van Bologna. Nando verwaardigde zich niet te reageren. Er daalde een zware stilte neer.

'Die auto staat geregistreerd op naam van Lorenzo Curti,' meldde Bruno rustig. 'Er zit een man op de bestuurdersplaats. Het valt moeilijk met zekerheid te zeggen in dit licht, maar hij lijkt nogal op de foto's en op wat ik op tv van

Curti heb gezien. Vrij lang, slank, een goed verzorgde baard, peper-en-zoutkleurig haar.'

'Heb je met hem gesproken? Waarom is hij gestopt?'

Bruno draaide het portierraam een kiertje open en hield zijn hoofd scheef alsof hij luisterde.

'Je kent toch die messen die ze voor het splijten van blokken Parmezaanse kaas gebruiken? Nou ja, het zijn niet echt messen, meer driehoekige beitels. Dik, scherp en erg onbuigzaam.'

'Fuck, Bruno, je begint te klinken als die zingende kok op tv. Waarom kom je nou opeens aanzetten met parmezaanmessen?'

'Bij de man in die auto steekt iets uit zijn borstkas dat op zo'n ding lijkt. Oftewel iemand heeft hem een doodsteek gegeven.'

Door het iets geopende raam klonk vanuit de verte een hard en snel zwiepend geluid. Bruno opende het portier.

'Help me de vuurpijlen te pakken en ruimte vrij te maken waar de helikopter kan landen.'

Rond de tijd dat de blauwe Audi A8 – onder een dekzeil en met de chauffeur nog achter het stuur – op een dieplader werd getakeld voor transport naar de politiegarage, bevonden Aurelio Zen en zijn fantoomdubbelganger zich diep ondergronds in de Toscaanse wildernis.

Het was een lange dag, een lange maand, sterker nog, een lang leven geweest, dacht Zen. Of misschien was het ook wel zijn dubbelganger die dit dacht. Het was nooit bewezen dat hij kon denken, maar dat deed er in wezen niet toe. De hoofdzaak was dat hij, anders dan Zen, op wie hij uiterlijk tot in het kleinste detail leek, geen gevoelens bezat. Misschien verklaarde dit waarom hij er zo walgelijk fris en gezond uitzag. Het glanzende zwarte haar vertoonde dan wel enkele zilveren draden en hier en daar lag de huid inmiddels iets strakker over het bot, maar dit versterkte slechts de algehele indruk van distinctie en rijpheid die hij wekte. Dit, zo wist je meteen, was een man die echt geleefd en veel geleerd had en die nu, beschikkend over al zijn opgedane ervaring, zijn leven meester was zoals een bedreven ruiter zijn paard; een man die niet korzelig probeerde te domineren en te heersen, maar die zich helder bewust was van iedere eventualiteit en daar ontvankelijk voor was.

Het was moeilijk om zo'n man niet te benijden, hoewel hij, evenals de Matterhorn, geen greintje superioriteitsgevoel leek te bezitten – of wat voor gevoelens ook. Voor Zen, die tegenwoordig niets anders leek te hebben, sterker, nog niets anders leek te zijn dan gevoelens, was dit op zichzelf hoogst benijdenswaardig. Of het nu fysiek (gebons, getintel, steken) of geestelijk (zwaarmoedigheid, duizelingen, angst) was, gevoelens hadden zijn bewustzijn in zo sterke mate overgenomen dat zelfs de herinnering aan andere perspectieven erdoor was verjaagd. Ooit was hij iemand anders geweest. Zoveel leek wel aannemelijk, hoewel het natuurlijk niet bewezen kon worden. Aan de andere kant was het een onweerlegbaar feit dat hij die persoon niet meer was. Alle persoonlijke eigenschappen, opvattingen, vaardigheden, ideeën, gewoonten, voorkeuren en afkeer, die tezamen met meer van dergelijke informatie ondergebracht kunnen worden onder de woorden 'ik' en 'mij' – kortom alles aan Zen, met uitzondering van zijn gevoelens – was klaarblijkelijk overgebracht, als het ware gedownload, op de *Doppelgänger* die nu zichtbaar was aan gene zijde van het coupéraam. En wat het afgedankte omhulsel en zijn vooruitzichten in de toekomst aangaat, daarover moesten we het maar niet hebben.

Nu moet gezegd dat de specialist bij wie Zen in Rome was geweest hierover een heel andere mening was toegedaan.

'U herstelt prima,' luidde zijn vonnis toen hij na het bekijken van de röntgenfoto een monoculaire catheter in Zens slokdarm inbracht en het vlees rond de operatiewond hardhandig kneedde alsof hij voornemens was het later op de barbecue te leggen.

'Maar ik voel me verschrikkelijk,' had Zen hierop gemompeld.

'Heeft u pijn?'

'Tegenwoordig valt dat wel mee. Maar ik voel me aldoor volslagen afgemat. Na de minste inspanning moet ik een halfuur gaan liggen om bij te komen. Van een trap op lopen raak ik buiten adem en duizelig. Zelfs praten put me uit.'

Zijn stemgeluid vervloog als rook.

'Dat valt te verwachten,' antwoordde de specialist harteloos nonchalant. 'Uw lichaam is nog bezig om zich te herstellen. Daarom blijft er weinig energie over voor andere dingen.'

'Ik weet het, maar er is meer dan dat aan de hand. Ik voel

me niet meer mezelf. Ik voel me niet als ik. En misschien ben ik dat ook niet.'

De specialist sloot Zens dossier met een zwierig gebaar en tikte er toen een paar keer op als om het beroepsmatige gewicht van dit gebaar te beklemtonen.

'Medisch gezien, zoals ik al uitlegde, zijn de kansen op volledig herstel uitstekend. De duur van dat proces valt niet met enige precisie te kwantificeren, daarvoor hangt het van te veel variabelen af.'

Hij wierp nadrukkelijk een blik op de klok. Zijn belangstelling voor het geval was duidelijk voorbij. Net een politieman die weet dat hij zich verder niet meer verdienstelijk kan maken, dacht Zen. In het verleden had hij zelf ook dikwijls op botte wijze duidelijk gemaakt dat hij geen tijd te verspillen had, maar als hij dat nu deed zou dat nergens op slaan. Hij mocht al zijn tijd vermorsen, dat was de harde realiteit.

Misschien was de specialist gezwicht voor de uitdrukking op het gezicht van zijn patiënt of misschien ook was hij subtieler dan Zen hem had toegedicht. Hoe dan ook, toen ze elkaar bij de deur de hand drukten, stelde hij een onverwachte vraag.

'Heeft u steun aan uw vrouw?'

Zen wachtte zo lang met een antwoord dat de stilte ten slotte pijnlijk werd. Eerst moest hij bedenken dat dit 'uw vrouw' op Gemma moest slaan, die de afspraak voor hem had gemaakt op een moment dat hij zichzelf te zwak voelde voor de confrontatie met onbuigzame Romeinse persoonlijke assistenten met een ego zo enorm als de afschrijvingen van hun creditcards. En wat de vraag zelf betrof, die was naar zijn gevoel niet te beantwoorden. Het verhaal was veel te lang en ingewikkeld om in enkele woorden te kunnen samenvatten. Het zou al uren kosten om de situatie in grote lijnen te schetsen.

'Steun?' wist hij ten slotte uit te brengen.

De specialist had duidelijk spijt van zijn vraag.

'Ach, zo in het algemeen,' zei hij de boot afhoudend. 'U

moet niet vergeten dat heel het gebeuren voor haar vast ook schokkend is geweest. Feitelijk blijkt het vreemd genoeg vaak zwaarder voor de gezinsleden dan voor de patiënt zelf.'

Zen dacht na maar er wilden geen woorden komen.

'Ze was...' begon hij en hield toen zijn mond.

De specialist knikte met doorzichtig gespeeld enthousiasme. 'Mooi, mooi,' mompelde hij en liep toen snel weg.

Eén aspect van zijn toestand had Zen niet ter sprake gebracht, en wel dat delen van zijn lichaam waar hij vroeger nooit over nadacht tegenwoordig zijn voortdurende aandacht opeisten, terwijl andere waarvan hij onbewust afhankelijk was geweest nu schitterden door afwezigheid. Zodoende kwam het niet als een grote verrassing dat het doffe gebulder in zijn oren plots afzwakte tot een zacht geruis en het snerpen van zijn mobiel even later volkomen normaal klonk. Aandachtig bekeek hij de strook transparant plastic waarachter de identiteit van de beller zichtbaar was en liet het toestel vijf keer overgaan alvorens op te nemen.

'Ik zit in de trein. We reden in een tunnel.'

'Hoe is het gegaan?'

Zens antwoord liet even op zich wachten.

'Het was een normale tunnel,' zei hij ten slotte. 'Misschien iets langer dan de meeste.'

'Vertel me nou wat de dokter zei.'

'Heb ik net gedaan.'

'Voel je je wel goed?'

'De dokter zegt dat ik het prima maak. Ik zit alleen in een lange tunnel.'

'Maar is er licht aan het einde?'

'Nee, nu is het donker. Dat zal er vast ook moeten zijn.'

Er klonk een geluid dat kussens wel eens maken als men erop plaatsneemt.

'Hoe laat kom je thuis?'

'Weet ik niet.'

'Wil je dat ik je kom afhalen? Ik was van plan om naar een film te gaan.'

'Ga, ga! Ik neem wel een taxi. Of ik loop.'

'En wat doe je vanavond met eten?'
'Ik heb uitgebreid geluncht en ik heb geen honger. Ga jij naar je film. Ik laat mezelf binnen en...'
Hij maakte zijn zin niet af, omdat hij aan het sterker wordende achtergrondlawaai en de luchtdruk merkte dat de trein door de zoveelste tunnel werd ingesloten, wat het gesprek tussen hem en *signora* Santini toch zou afbreken.

Niet dat daarvoor tegenwoordig veel nodig was. Afgebroken gesprekken, tijdelijke onderbrekingen, computerstemmen, andere stemmen op de lijn en doodse stiltes in hun onderlinge communicatie kwamen steeds vaker voor, alsof het hele netwerk naar de knoppen was en geleidelijk aan instortte. Hij had kunnen zweren dat haar stem – de stem waarop hij verliefd was geworden, die gedenkwaardige zomer op het strand van Versilia – harder en scherper was geworden en dat er ook bij de gewoonste opmerkingen een ondertoon in zat van 'het is kiezen of delen'. En hij voelde dat er onvervalste woede, verborgen zoals de rauwe pijn van zijn eigen gehavende ingewanden, vlak onder het oppervlak van de alledaagse banaliteit lag, veilig geworteld in en vooralsnog terend op zichzelf. Kortom, de warme, rustige, betrouwbare vrouw voor wie hij was gevallen, was afstandelijk, onvoorspelbaar en lichtgeraakt geworden. Althans zo leek het, maar Zen nam aan dat hij de minst betrouwbare getuige was. Wat kon hij over anderen weten nu hij een vreemde was voor zichzelf?

Nu het woord 'eten' gevallen was kon hij niet meer blijven zitten. Hij liep de wagon door, zich aan iedere rugleuning vastgrijpend om niet uit evenwicht te raken, dezer dagen in alle opzichten een precaire zaak. In de restauratiewagen kocht hij een in plastic verpakt broodje ham en een blikje bier, wat hij meenam naar een richel op elleboghoogte bij een raam, waar zijn dubbelganger zich reeds geïnstalleerd had. Misschien had ze iemand ontmoet terwijl hij in het ziekenhuis lag. Of eerder nog, toen hij voor zijn laatste opdracht een poosje afwezig was. Of misschien zelfs daarvoor. Onwaarschijnlijk was het niet. Beide partners zijn zich altijd, in ieder geval subliminaal, bewust van de machtsbalans in hun relatie en feit was dat Gemma jonger was dan hij en nog altijd erg mooi. Verder wist hij dat ze, voordat zij een relatie kregen, de reputatie genoot een flirt te zijn.

Gulzig verorberde hij zijn broodje, want tegenover Gemma had hij gelogen over zijn 'enorme' lunch. In Zens huidige toestand kwam er alleen maar iets uit zijn handen als hij de taak opsplitste in kleine uitvoerbare deeltaken en zich vervolgens volledig op de uitvoering daarvan concentreerde met uitsluiting van al het overige. Vandaag bestond zijn gekozen opdracht eruit op tijd te komen voor zijn afspraak met de specialist in Rome. Dit had hij volbracht, maar de prijs hiervoor was dat andere zaken hem volkomen ontschoten waren, zoals zich even op het ministerie vertonen en misschien zijn vriend Gilberto zien. Hij was zelfs vergeten om te eten. Er waren momenten dat hij bijna met weemoed terugdacht aan zijn tijd in de kliniek. Alles was toen zo eenvoudig geweest. Niemand verwachtte van je dat je competent was of enigerlei initiatief nam. Integendeel, zulk gedrag keurde men af. Het personeel vertelde je wat je moest doen en wanneer, en je gehoorzaamde. De noodzaak ontbrak om plannen te maken of te handelen. Achteraf gezien was het allemaal reuze ontspannend geweest.

Hij nam de laatste hap van het nogal droge broodje en spoelde het weg met het laatste restje bier. Als hij eerlijk was tegenover zichzelf, dan was het bezoek aan de specialist niet meer dan een voorwendsel geweest. Eigenlijk was hij er alleen maar heen gegaan om weg te kunnen, te kunnen ontsnappen uit het door stadsmuren ingesloten Lucca. Eens had die enorme barrière van baksteen geruststellend aangevoeld, maar na een maand van bedlegerigheid, gevolgd door een maand opgesloten zitten in het appartement aan de Via del Fosso, vond hij het er even verstikkend als wanneer het hartje zomer was, wat elke verfrissende kijk of wind blokkeerde. Ongetwijfeld was hij om die reden uren te vroeg voor zijn afspraak in Rome gearriveerd. Hij had er de tijd gedood met in cafés rondhangen, waar hij als een toerist stompzinnig iedereen die kwam en ging zat op te nemen. En in plaats van dat hij na afloop de eerste trein naar het noorden nam, verdeed hij nog eens een paar uur in een bioscoop, op een stoel zo dicht bij het scherm dat de film in al zijn wazigheid aan hem voorbijging. Maar nu was hij op weg naar huis, waarmee zijn korte voorwaardelijke vrijheid ten einde liep. Hij kon haar iets verlengen door expres zijn treinaansluiting in Florence te missen, zodat tegen de tijd dat hij thuiskwam Gemma al zou slapen, als hij geluk had.

Maar dan had je nog altijd morgen en overmorgen en alle morgens daarna. Ooit was er een tijd dat hij zich ter afleiding op zijn werk had kunnen richten, maar zoals hij zich nu voelde leek het onwaarschijnlijk dat hij zelfs maar een routinefunctie zou aankunnen, zoals een die men hem jaren geleden had toebedeeld tijdens een periode dat hij uit de gratie was en de provinciale hoofdbureaus bezocht om erop toe te zien dat de kruimeldiefstallen en het zich wederrechtelijk toe-eigenen van fondsen binnen de ruim gedefinieerde perken bleef. Kortom, het was gedaan met zijn carrière. Zodra de ernst van zijn gezondheidsproblemen duidelijk werd, was hem ziekteverlof voor onbepaalde tijd toegekend en de verleiding bestond nu om dit zo lang mogelijk te rekken en het vervolgens om te bouwen tot een vervroegde pensionering. Hij had een machtige beschermer op het ministerie en het was evident dat niemand hem kon gebruiken. Voor alle betrokkenen leek een gouden handdruk de minst pijnlijke uitweg uit deze gênante situatie en hij zag niet in waarom het afgewezen zou worden.

Dan restte nog de kwestie van zijn privéleven. Natuurlijk waren er eerdere relaties van Zen stukgelopen. Daarover had hij zich verwonderd, ontzet gevoeld en zich geen raad geweten. Maar dit keer was hij er veel emotioneler over, misschien omdat de mogelijkheid dat het zou gebeuren nooit in hem was opgekomen. Zen en Gemma hadden geen van beiden de moeite genomen om zich van hun vorige partner te laten scheiden, dus hertrouwen was nooit aan de orde geweest. Toch hadden ze zich in alle opzichten gedragen alsof ze man en vrouw waren en voelden dit ook zo. Tegenwoordig echter leken ze steeds vaker op twee boksers die behoedzaam om elkaar heen draaiden om af en toe uit te halen, om dan weer lijf aan lijf te staan en van dichtbij klappen uit te delen, zonder een scheidsrechter om hen uit elkaar te trekken. Nooit kwam er een winnaar uit de bus, alleen twee verliezers en de wedstrijd eindigde er steevast mee dat Gemma statig het pand verliet en de deur hard achter zich dichtsloeg.

Zen draaide zijn hoofd naar het raam en bekeek zijn spookachtige tegenhanger, zo zelfvoldaan degelijk en solide. Voor hem voelde het alsof hij de reflectie was en dat beeld het origineel. 'Een schaduw van zijn vroegere zelf,' zoals men placht te zeggen. Een hopeloze invalide. Een treurig geval. De lange, gestroomlijnde trein gleed uit de laatste tunnel en ratelde over de brug over de Arno. In het verleden, toen hij wekelijks bezoekjes aan het ministerie bracht, voelde Zen zich op dit moment altijd blij worden, want dan wist hij zich bijna thuis. En nu, om precies dezelfde reden, vervulde het hem met een akelig voorgevoel.

Toen Vincenzo binnenstormde lag Rodolfo naakt op het bed en genoot van een van die zeldzame momenten waarop, om een onlangs door professor Ugo geciteerde Duitse dichter aan te halen, 'een geluk valt'. Wat had hij gedaan dat hij dit verdiende? Niets, voor zover hij wist. Op de gevorderde leeftijd van drieëntwintig jaar legde Rodolfo zich er schoorvoetend bij neer dat succes hem niet kwam aanwaaien, hij geen heldendaden verrichtte, geen doelen bereikte en geen vrouwen voor zich won. Als hij Flavia voor zich had gewonnen, althans voor het moment, kwam dat alleen doordat ze hem in handen was gevallen. Er mankeerde niets aan zijn verstandelijke vermogens, maar als puntje bij paaltje kwam was hij eigenlijk een matig gemotiveerde doch goedbedoelende lichtgewicht, die altijd het pad van de minste weerstand had gekozen en dat ongetwijfeld altijd zou blijven doen.

Een geluk was gevallen en hij was zo fortuinlijk geweest het te kunnen vangen, maar je kon niet eindeloos op geluk als dit rekenen. Wat viel brak gewoonlijk of het brak jou als je er nietsvermoedend onder stond. Rodolfo's vader had doorlopend getracht zijn zoon zulke elementaire waarheden onder de aandacht te brengen, op een vermoeide maar beleefde toon die de indruk wekte – nee, welhaast trots verkondigde – dat ook al had hij de volslagen nutteloosheid van een dergelijke poging aanvaard, het van hem niet gezegd zou worden dat hij zich onttrokken had aan zijn verantwoordelijkheden als vader.

De gedachte aan zijn vader riep haast als vanzelf steeds sterker beelden in hem op van zijn ouderlijk huis, het kleine marktplaatsje en heel het innerlijke landschap van zijn jeugd. Puglia! Dus toen Vincenzo binnenstormde, ogend als het evenbeeld van Errol Flynn na een woeste nacht van losbandigheid en zwelgen, voelde zijn huisgenoot zich in meer dan één opzicht naakt.

'Siama in due,' siste hij hem kwaad toe, terwijl hij met een ruk de dekens over Flavia's bovenlichaam en zijn eigen genitaliën trok.

De indringer leunde tegen de deurpost zoals een dronkenman tegen een lantaarnpaal.

'Waar de fuck is mijn fucking jack, lul?'

Zoals altijd verwonderde Rodolfo zich erover hoe weerzinwekkend aantrekkelijk Vincenzo was, met zijn sluike zwarte haar, arendsprofiel, doordringende blik, slanke lichaam en afgrijselijk roekeloos-nonchalante houding.

'Jack?' Rodolfo stond op en trok zijn jeans aan.

'Mijn voetbaljack! Dat is pleite!'

Vincenzo greep het gifgroene polyester kledingstuk vast dat hij over een hiermee detonerend modieus overhemd droeg.

'Ik moest dit kloteding lenen van Michele. Ik wil mijn eigen jack om naar de wedstrijden te gaan, g.v.d.! Mijn clubjack!'

Rodolfo loodste zijn huisgenoot naar de woonkamer en deed de slaapkamerdeur zacht achter hen dicht.

'Je bedoelt dat zwartleren met het embleem van FC Bologna op de rug?'

'Uiteraard! Ik heb het naar iedere wedstrijd gedragen al vanaf... Al jaren en jaren. Altijd! Het is de talisman van het team! Als ik het niet draag verliezen we, zoals vanavond!'

Rodolfo maakte een verontschuldigend gebaar.

'Het spijt me, Vincenzo. Mijn jas is gestolen op de universiteit. Ik voel me al een tijdje niet lekker, dat weet je, en buiten is het stervenskoud. Daarom heb ik een jack van jou geleend. Je was niet thuis, dus ik kon het je niet vragen. Ik heb het meest afgedragen jack gepakt dat ik zag. Ik besefte niet dat je er zo aan hechtte. Tenslotte heb je bergen kleren.'

Vincenzo Amadori's uitgebreide, eclectische garderobe was inderdaad een van de allerbelangrijkste redenen waarom hij en Rodolfo dit luxueuze appartement deelden.

'Het spijt me echt,' herhaalde Rodolfo. 'Je jack ligt veilig hiernaast, maar ik wil het licht niet aandoen, want dan wordt Flavia wakker.'

Maar Vincenzo, typisch voor hem, was al niet meer in het onderwerp geïnteresseerd.

'Wat maakt het uit?' Hij wuifde het met een slap handje minachtend weg. 'Het is toch allemaal niks.'

'Hebben we verloren?'

'We hebben verloren. Maar het doet er niet toe.'

'Hoezo werd er vanavond gespeeld? Het is midden in de week.'

'Uitgesteld toen er eigenlijk gespeeld moest worden. Afgelast wegens een beetje geëtter dat ondergetekende had bekokstoofd. Dus moesten we nog een keertje met zijn allen naar Ancona. De supporters, de spelers, de manager, de eigenaar...'

'En we verloren.'

Vincenzo kwam even in actie, voelde in diverse zakken en haalde ten slotte een fles *limoncello* te voorschijn.

'In de rust stonden we voor en daarna verknalden we het, zoals gewoonlijk met enige hulp van de scheids. Drie-een.'

'Ben je net thuis?' Rodolfo veranderde van onderwerp voor Vincenzo hem zou gaan uitschelden voor een zuiderling met stront tussen zijn oren, een Bari-supporter wiens zuster het deed met Albaniërs. Het was een kwestie van tijd voordat Vincenzo zou uitvogelen dat Flavia afkomstig was van de niet-hippe kant van de Adriatische Zee en een opmerking maakte die Rodolfo niet door de vingers kon zien.

'Dikke stront,' antwoordde zijn huisgenoot met dat vulgaire lachje op zijn gezicht dat hij naar believen uit de kast kon trekken. 'Uit mijn dak, Rodolfo. Ik ging helemaal uit mijn dak!' Hij nam een lange, gorgelende teug van de citroenlikeur.

Rodolfo zag dat dit het authentieke, dure spul was dat uitsluitend werd gemaakt van de vruchten uit de officieel gegarandeerde streken in Capri en Sorrento. Alleen het beste was goed genoeg voor Vincenzo, zelfs als vergetelheid zijn doel was.

'Nou, ik ben blij dat je heelhuids bent thuisgekomen,' zei hij gemaakt bezorgd, voordat hij naar de slaapkamer en Flavia terugging.

Vincenzo lachte weer het vulgaire lachje dat hij naar believen uit de kast kon trekken.

'Iemand gaf me een lift. En toen...'

Hij maakte zijn zin niet af, maar greep naar zijn maag en deed vervolgens een vergeefse poging om rechtop te gaan staan. Vertrouwd met deze symptomen en indachtig het feit dat hij de rotzooi die er het gevolg van kon zijn zou moeten opruimen, schoot Rodolfo hem te hulp.

'En toen?' poogde hij Vincenzo bij de les en diens reflexen inactief te houden.

Vincenzo schudde heftig met zijn hoofd en dook de hal in, richting wc. Even later klonk er hard gekerm, gevolgd door de geluiden van herhaald braken.

Rodolfo keerde zuchtend terug naar bed en deed de deur achter zich op slot.

'Ik mag je vriend niet,' zei een rustige stem.

'Hij is mijn vriend niet. We delen alleen dit appartement.'

Flavia duwde zich op haar ellebogen omhoog in het bed, waarbij haar dikke donkerrode haar over haar schouders en borsten viel. Ze veegde het uit haar gezicht, leunde tegen het kussen en deed toen een greep naar het pakje sigaretten op het nachtkastje.

'Waarom?' vroeg ze.

Zoals zo dikwijls, puur uit onbekendheid met de basislogica van de taal, had ze hem op het verkeerde been gezet. Dat was wat er gebeurde als je het aanlegde met buitenlanders, dacht Rodolfo zuur. Voor je het wist werd je nog verliefd op ze ook en vond je dat hun banale stommiteiten getuigden van diepe inzichten in de menselijke natuur.

'Waarom wat?' vroeg hij geïrriteerd, zijn idylle nu compleet verstoord. Hij was net zo kwaad op Vincenzo omdat hij Flavia wakker had gemaakt als op Flavia omdat ze zich wakker had laten maken.

'Waarom woon je met hem?'

Rodolfo ging naast haar op het bed liggen.

'Weet ik niet. Het gebeurde gewoon, net zoals dat jij en ik iets kregen.'

Flavia lag rustig te roken en reageerde niet, maar haar onnoemelijk blauwe ogen keken hem niet gering bezorgd aan.

'Toen ik na de kerst terugkwam bleek er in het gebouw waar ik eerst woonde brand te zijn geweest,' ging Rodolfo verder. 'Het was zaak om een ander onderkomen te vinden en snel ook. Met de toelage die ik van mijn vader krijg heb ik niet veel keus en natuurlijk was de meeste woonruimte al voor het hele academische jaar verhuurd. Dus toen heb ik wat advertenties met van die afscheurstrookjes gemaakt en gefotokopieerd en ze overal in de buurt van de universiteit opgeprikt. Maar dat leverde niets op. Toen werd ik getipt door iemand die uit dit appartement vertrok. Het ging mijn budget te boven, maar ik ben toch gaan kijken en net toen ik zou weggaan kwam ik Vincenzo tegen. Hij had ook gehoord dat het hier vrijkwam en voor hem vormt geld natuurlijk geen probleem. Hij betaalde de huisbaas meteen een borgsom en vervolgens stelde hij voor om samen iets te gaan drinken, want hij wilde me een voorstel doen. Ik kende hem niet, maar hij leek me best aardig. Hoe dan ook, de colleges waren al begonnen en ik kon het me niet permitteren kieskeurig te zijn. Bij de koffie – nou ja, hij dronk iets sterkers – stelde hij me voor het appartement samen te nemen. Er waren immers twee slaapkamers en we konden de huur delen. Toen ik hem zei dat zelfs de helft mijn budget te boven ging, zei hij: "Geen probleem, dan betaal jij een derde, op voorwaarde dat ik de grote slaapkamer krijg. Het geld kan me niet schelen, maar ik heb een eigen ruimte nodig en ik woon niet graag alleen." Dus zo zit het. Puur toeval.'

'Er bestaat niet zoiets als toeval.'

Rodolfo lachte.

'Als jij het nieuws bijhield zou je weten dat er niets anders bestaat.'

Het meisje fronste.

'Dus jij bent geen... hoe heet het? *Credente?*'

'Een gelovige? Tuurlijk wel. Ik ben een hartstochtelijk protestant.'

'Echt waar?'

'Zekers. Ik protesteer tegen alles.'

Flavia's fronsrimpels werden dieper.

'Ik probeer naar het nieuws te kijken, maar ik begrijp het niet altijd.'

Hij boog zich naar haar toe en kuste haar bleke gezicht.

'Ik doelde niet op het kleine scherm, ik bedoel het grote geheel. En er valt niets te begrijpen. Of liever gezegd, er is niets dat je kunt begrijpen. Deterministisch materialisme is het enige spelletje dat nog gespeeld wordt. De intellectuele bollebozen hebben de kansen uitgerekend tot op het laatste cijfer achter de komma en in wezen zijn ze het met Vincenzo eens. Afgezien van kleinigheden is het leven nu eenmaal dikke stront.'

Vanuit de gang, alsof hiervoor het juiste moment was afgewacht, klonk het geluid van de wc die werd doorgetrokken. Hierop volgden enkele niet nader te duiden bonken en bonzen en ten slotte de klap waarmee de andere slaapkamerdeur werd dichtgeslagen.

'Ja,' zei Flavia.

'Ja, wat?'

'Ja, ik begrijp het. Maar...'

Ze zweeg.

'Wat?' drong Rodolfo aan.

Maar Flavia schudde haar hoofd, op die gedecideerde manier van haar.

'Laat maar,' zei ze. 'Het gaat mij toch niets aan. Wat weet ik helemaal van dit land, wat normaal is en wat niet? Ik ben hier maar op doortocht. Nog een stuk stront dat door het stelsel passeert.'

Rodolfo besloot dit op te vatten als een uitdaging.

'Vertel het me toch maar,' drong hij aan, naar haar toe rollend om haar vast te houden.

'Nee. Dat zou *invadente* zijn.'

Dit bood hem de kans om het allemaal wat minder zwaar te maken.

'Maar je bent een indringster!' verklaarde hij, met de ene hand naar zijn borst grijpend en zijn andere theatraal in de lucht werpend. 'Niet alleen ben je mijn land binnengedrongen maar ook...'

Bijna had hij 'mijn hart' gezegd, maar hij realiseerde zich net op tijd dat dit onder de gegeven omstandigheden waarschijnlijk niet als een ironische overdrijving maar als grievend zou overkomen.

Verzonken als ze was in haar eigen gedachten leek Flavia geen aandacht te schenken aan de onafgemaakte zin.

'Hij doet me denken aan...'

Ze zweeg even om de as van haar sigaret in het schoteltje naast het bed af te tippen.

'Hij is erg mooi,' voegde ze er ten slotte onlogisch aan toe.

Opnieuw probeerde Rodolfo een grapje te maken.

'Geloof me, als ik maar één homo-gen in mijn lijf had...'

Flavia leek niet in deze overpeinzing geïnteresseerd.

'Maar hij is verdorven,' zei ze als was dit de logische conclusie van haar betoog.

'Waar slaat dat nou op?'

Flavia liet zich niet van de wijs brengen door de vraag noch de manier waarop hij haar stelde.

'Ik gebruikte waarschijnlijk het verkeerde woord. Of misschien bestaat zoiets hier niet.'

Haar intimiderend regelmatige trekken maakten even plaats voor een stralende glimlach..

'Maar je had het over genen in je lichaam,' vervolgde ze, opnieuw met een volkomen glad gezicht. 'Nou, ik heb mijn eigen genen en een van die genen geeft mij een heel duidelijk gevoel over dit ding, hoe jullie dat ook mogen noemen.'

Ze drukte haar sigaret uit en ging liggen.

'Vincenzo is gewoon een verwend jong,' zei Rodolfo met

iets van minachting. 'Vader advocaat, moeder een zogenaamd baantje bij de *giunta regionale* om artistiekerige tentoonstellingen en zo in elkaar te draaien. Kortom typisch Bolognese upper-middleclass met een geschiedenis van gematigd politiek activisme toen ze jong waren, wat hen nu maatschappelijk aanvaardbaar maakt en voldoende besteedbaar inkomen verschaft om dure "alternatieve" vakanties door te brengen op de Lofoten om maar een dwarsstraat te noemen. Alle gebruikelijke clichés, dus Vincenzo vertoonde het clichégedrag en rebelleerde tegen het gezinsleven waarnaar hij kan terugkeren wanneer het hem belieft. Hij gaat niet naar college, doet geen tentamens, trekt op met een stelletje schorem in het voetbalstadion en hij zuipt. Maar slecht? Hij heeft er de kloten niet voor om slecht te zijn. Of wat dan ook te zijn, trouwens. Die knul is een rukker, meer niet.'

Flavia lag daar maar en staarde omhoog alsof ze naar een licht ver weg keek dat door het plafond heen vagelijk zichtbaar was.

'Toch ken ik zulke mensen,' zei ze ten slotte. 'Ik ken ze, al heb ik ze nooit ontmoet. Kun je dat begrijpen? Ion Antonescu, Gheorghiu-Dej, Corneliu Codreanu... ik ken ze erg goed.'

Rodolfo gaapte. Het was laat en hij moest nog heel veel nalezen voor Ugo's werkgroep van morgen. De laatste tijd was zijn houding jegens zijn beroemde docent steeds openlijker aanvallend geworden, dus hij kon maar beter maken dat hij de stof perfect beheerste.

'Wie zijn dat?' mompelde hij.

'Welke?'

'Maakt mij wat uit. De laatste.'

'Codreanu? Koning Carol liet hem in 1938 ter dood brengen. Twee jaar later wierp Antonescu de monarchie omver en veranderde het land in een dictatuur waarin het Legioen van de Aartsengel Michael, oftewel de IJzeren Garde, de baas was.'

Rodolfo gaapte opnieuw en omhelsde haar.

'Jij bent Sheherazade, die rare verhalen verzint om me de hele nacht wakker te houden. Jij met je Ruritanië! Ik geloof niet eens dat het land bestaat.'

Flavia knikte.

'Het heeft ook nooit erg werkelijk aangevoeld, vooral niet als je een "stateloze vreemdeling" van Hongaarse of joodse origine was. Maar het bestaat echt. En een aantal dingen die daar gebeurden was bepaald niet imaginair.'

'Zoals wat?'

Nu was het Flavia's beurt om wat zij ervoer als een uitdaging aan te nemen, zij het met duidelijke tegenzin.

'Zoals de verzegelde ruimten. Ze hadden geen geld voor gaskamers, dus ze sloten mensen gewoon op en wachtten tot ze gestikt waren.'

Rodolfo leunde over haar heen om een sigaret te pakken.

'Wat heeft dit nou precies met Vincenzo te maken?' informeerde hij op de pedante toon die hij onbewust van professor Ugo had overgenomen en die hij tijdens diens colleges aansloeg.

Flavia's antwoord liet lang op zich wachten, alsof het helemaal van de planeet moest komen die ze daarnet had liggen observeren en die zo ontzettend ver weg lag dat zelfs het licht erdoor uitgeput raakte.

'Dat weet ik niet precies,' zei ze ten slotte. 'Ik weet alleen dat hij heel sterk is. Dat ben ik ook, maar ik ben er misschien niet om op je te passen. En jij bent niet sterk, *caro mio*. Je bent erg lief en intelligent, maar je bent zwak. De man met wie je woont is geen van die dingen. Dus wees voorzichtig.'

Gemma Santini stond in haar nachtjapon emotieloos de gevolgen van de tand des tijds op te nemen in de spiegel boven de toilettafel. Alles welbeschouwd viel het nogal mee, concludeerde ze. Een enkel decoratief onderdeel dat versleten was, hier en daar een afgebrokkeld stukje fronton, maar tot dusver hadden de Goten en Vandalen nog niet alles wat zichtbaar was verwoest. Kortom, ze voelde zich er tamelijk zeker van dat ze nog wel een vriend kon krijgen, mocht het zover komen.

En dat zat er best in, vermoedde ze. Dit was een vervelende gedachte, maar Gemma had zich nooit op haar gemak gevoeld met minder dan de waarheid, hoe hinderlijk die ook mocht zijn. Men moest feiten onder ogen durven te zien. Of het nu ging om de feiten over haar eigen gezicht zoals gereflecteerd in de slaapkamerspiegel of die over de man in haar leven zoals gereflecteerd in de kaleidoscopische aaneenschakeling van groteske en onrustbarende patronen waarin hun gezamenlijke leven recentelijk was gedesintegreerd. Gemma ging er tamelijk fier op dat ze nooit schroomde te zeggen waar het op stond en hierbij zichzelf noch anderen spaarde. Ze was een realist die in staat was de vergissingen die ze eventueel maakte te erkennen en kon afleren om ze te maken. En haar relatie met Aurelio Zen begon ze als zo'n vergissing te beschouwen.

Een andere karaktereigenschap van haar was dat als dit besluit eenmaal genomen was – of in elk geval na de mogelijkheid te hebben overwogen dit te doen – zij er, anders dan haar partner, absoluut niet in geïnteresseerd was om het hoe, wat, wanneer en waarom van de situatie eindeloos te analyseren. Terzelfder tijd ontleende ze een zeker genoegen aan de wetenschap dat als ze ervoor gekozen zou hebben dit spelletje te spelen, ze Zen finaal geklopt had. Zo speelden er twee cruciale factoren mee waarvan hij zich totaal niet bewust was. De ene viel hem te vergeven, aangezien dit een familiekwestie betrof waarvan Gemma hem onkundig had gelaten. Maar zijn onwetendheid ter zake was helemaal zijn eigen schuld. Als je overduidelijk laat blijken dat zekere aangelegenheden van andere mensen je niet in het minst interesseren, dan valt te verwachten dat men je de bijzonderheden over verdere ontwikkelingen bespaart.

De andere factor was Zens hypochondrie, in de breedste betekenis van het woord, omdat deze niet alleen een ziekelijke bezorgdheid over zijn gezondheid inhield maar ook een chronische depressie. Hiervan was Gemma zich aanvankelijk even onbewust geweest als Zen nu van de mogelijkheid dat zij oma werd. Als ze terugkeek was ze misschien een beetje traag van begrip geweest, maar ja, ze had ook voldoende redenen gehad om te willen dat het niet waar was. Inmiddels bleek het bewijs echter onweerlegbaar. Eerst waren er Zens eindeloze klachten geweest over buikpijn en een onduidelijk gevoel van uitputting. Daarna, toen eenmaal duidelijk werd dat hij geenszins van plan was om uit vrije wil naar een dokter te gaan, had Gemma hem moeten intimideren en welhaast hardhandig moeten aanpakken opdat hij ging. De diagnose leverde een nieuwe reeks hindernissen op, waaronder aanvankelijk de herhaalde gang naar het plaatselijke ziekenhuis en vervolgens naar een privékliniek in Rome, alwaar de specialist die Zen vandaag voor controle bezocht een operatieve ingreep aanbeval, die naar verluidde 'routinematig en zonder complicaties was verlopen'. De patiënt daarentegen scheen deze alledaagse ingreep te beschouwen als een nachtmerrieachtige en potentieel dodelijke beproeving, te vergelijken met het als allereerste mens ter wereld ondergaan van een hersentransplantatie.

En zo bleef het maar doorgaan. Zoals elke apotheker in een cultuur waar de beroepsgroep, zelfs strikt volgens de wet, beduidende discretionaire bevoegdheden zijn toegekend, had Gemma haar portie gehad aan vaste klanten die geregeld binnenvielen om hun nieuwste kwalen en hun algehele gezondheidstoestand te bespreken alvorens haar te vragen hun 'iets' te verschaffen ter verlichting van hun symptomen, die evenwel niet 'de moeite waren om er een arts mee lastig te vallen'. Desondanks was ze voordat Zen na zijn ontslag uit de kliniek weer thuiskwam om te herstellen nooit eerder een regelrecht geval van paranoïde hypochondrie tegengekomen.

Aanvankelijk had ze zich lankmoedig betoond, in de veronderstelling dat hij zichzelf weldra zou vermannen en weer in zijn normale doen kwam. Niet alleen was hiervan nog geen teken te bespeuren, hij leek wel elke dag met een nieuwe klacht op de proppen te komen. Als het geen rugpijn was, dan was het wel kiespijn. Was het nieuwe van deze kwellingen eraf, dan beweerde hij verschrikkelijke migraineaanvallen te hebben die hem het slapen onmogelijk maakten, zodat hij zich volkomen uitgeput, verward en terneergeslagen voelde – en hij voelde tegenwoordig wat af. Hij kon niet helder denken, kon niets onthouden en hij kon beslist niet terug naar zijn werk. Eindelijk had hij beseft hoe belangrijk zijn werk voor hem was en nu zou hij nooit meer tot werken in staat zijn. Kortom, hij kende zichzelf niet terug. 'Ik voel me gewoon niet meer mezelf,' had hij geklaagd. 'Het is net alsof er ergens een draad is geknapt en het hele weefsel voor mijn ogen losraakt.' Op het laatst vergde dergelijke melodramatische druktemakerij het uiterste van Gemma's geduld, wat resulteerde in enkele wel zeer levendige ruzies, gevolgd door lange perioden van nukkig zwijgen. Blijkbaar had Zen de strategie van nadrukkelijk 'niet spreken' tegen haar toegepast, en zij behandelde hem maar al te graag op dezelfde manier. Maar dit kon zonder meer niet veel langer zo doorgaan.

Toen de telefoon ging nam ze bijna niet op, omdat ze vermoedde dat het haar ex-geliefde was, zoals ze inmiddels aan hem dacht, met het verzoek hem een lift te geven vanaf het station of misschien zelfs vanaf Florence. De beller bleek echter haar zoon te zijn. Dit was even welkom als ongebruikelijk. Vrijwel altijd was het Gemma geweest die het initiatief nam tot contact met Stefano, vooral nadat ze de vergissing had begaan diverse aspecten van zijn nieuwe situatie aan te roeren, hoe voorzichtig ook, die zij in haar hart uitermate zorgwekkend vond. Moeder noch zoon was iemand voor gebabbel, maar beiden deden hun best om het eventjes over neutrale onderwerpen te hebben, zoals het weer en Zens gezondheid, voordat Stefano ter zake kwam.

'Eigenlijk vroegen Lidia en ik ons af of je hier een keer langs kon komen.'

'In Bologna?'

'Jaah. Dit weekeinde, als je kunt.'

'Is er iets gebeurd?'

Ze probeerde niet bezorgd te klinken, zonder daarin geheel en al te slagen. Stefano had deze vraag natuurlijk verwacht.

'We hebben je heel veel te vertellen, maar laten we daarmee wachten tot je komt. Als je kunt natuurlijk. Maar wij kunnen moeilijk weg en...'

'Doe niet zo mal! Natuurlijk kom ik.'

Met gemengde gevoelens hing ze op. Aan de ene kant zag ze ernaar uit om even weg te kunnen van haar eigen huiselijke problemen. Aan de andere kant maakte ze zich nu al zorgen over die welke haar in Bologna misschien wachtten. De waarschijnlijkste drie kon ze zo al bedenken en die bevielen haar geen van drieën. Maar toch moesten ze onder ogen gezien worden en de verandering van omgeving was wat je noemt een bijkomend voordeel.

De echo van een deur die dichtsloeg in het trappenhuis, gevolgd door het geluid van een reeks onvaste, slepende voetstappen, waarschuwden haar dat haar wederhelft was teruggekeerd. Snel deed ze het licht uit, dook in bed, trok het dek over haar gezicht en het had er alle schijn van dat ze diep in slaap was tegen de tijd dat Aurelio Zen aarzelend de deur openduwde.

Geflankeerd door twee schaars geklede, stralende stukken met een indrukwekkende voorsteven greep Romano Rinaldi het houten handvat van de parmezaandolk en hief hem met een dramatisch gebaar tot boven zijn hoofd.

'En nu, zoals een Azteekse priester een mensenoffer ten uitvoer brengt, open ík het hart van deze kaas, het hárt van Italië!' riep hij en terwijl hij het mes doel liet treffen, barstte hij uit in een vertolking van Verdi's *Celeste Aida,* die maar doorging en doorging en doorging.

In de geluiddichte regiekamer ontmoette Delia's blik die van de regisseur.

'Weer onder de coke,' mompelde ze.

'Je verbaast me,' reageerde de regisseur droog.

Hij drukte een knop in op het paneel voor hem.

'Technische bewerking,' zei hij. 'Romano, naar het script op het afleesapparaat bij camera drie.'

Hij verbrak de microfoonverbinding naar de studio achter het driedubbele raam.

'Ik gooi er wat van dat promotiemateriaal in dat de producentenbond ons heeft gestuurd,' zei hij met een smalend lachje. 'Misschien zo'n scène met een hoop koeien. Dan stop ik er Lo Chefs grote aria onder, laat het geluid langzaam wegsterven en meng het met close-ups van hem als hij zijn tekst tegen de camera staat te snateren.'

'Je bent een ster, Luciano.'

'Dank God maar voor digitaal. Het trailersegment moet morgen uitgezonden kunnen worden. Vroeger zou dat godmag-weten hoeveel manuren gekost hebben. Zelfs met het geld dat de parmigiani ons onder de tafel toestoppen, zouden we ook dan nog maar met moeite kostendekkend gewerkt hebben.'

Delia knikte vaag. Ze wekte de indruk er niet helemaal bij te zijn, en dat klopte.

'Wanneer ben je klaar met draaien?' vroeg ze.

'Met onze Romano, wie zal het zeggen? Voor alle zekerheid hebben we de studio geboekt tot twaalf uur. Dan moet het toch wel gebeurd zijn, mits hij zichzelf niet uitbeent met dat parmezaanmes.'

Lo Chefs stemgeluid bulderde uit de tegen de gecapitonneerde wand geplaatste speakers.

'... zestien liter van de fijnste, vetste, verste melk om één kilo te maken van dit, de Jupiter onder de kazen die de baas speelt over het plebs van mindere goden. En daarna rijpt hij maar liefst twee jaar op volkomen natuurlijke wijze, volgens de traditie van zeven eeuwen. Er komt geen kunstmatige ingreep om het proces te versnellen aan te pas...'

Delia liep naar de regisseur en kuste hem licht op het voorhoofd.

'Doe mij een lol, Luciano, en houd hem nog minstens een kwartier bezig. Wanneer het gedaan is zal ik hem moeten afspuiten en bemoederen, maar eerst moet ik koffie hebben.'

'Geen probleem. Als hij de geest krijgt en door de rest van het script heen jaagt, zeg ik hem wel dat hij iets te laag zat bij een paar maten van die Verdi-aria en laat het hem helemaal overdoen.'

Delia glimlachte hem dankbaar toe.

'Zeg, heb jij in *Il Prospetto* dat stuk over hem gezien van Edgardo Ugo?' voegde Luciano eraan toe. 'Had hij hem even door, hè? Ik heb me rot gelachen.'

Zonder hierop te reageren liep Delia de gang in. Vrijwel onmiddellijk begon haar mobiel te tsjilpen. Ze bekeek het schermpje en zei 'Verdomme!' voordat ze opnam.

'Heb je het hem verteld?' vroeg de beller.

'Nog niet,' antwoordde ze en negeerde de trap naar de straat. 'Hij heeft vanmorgen weer een van zijn buien. Je weet hoe hij is wanneer hij moet opnemen.'

'Delia, vroeg of laat komt hij erachter, waarschijnlijk binnen een paar uur al. Dat verrekte tijdschrift ligt nu in de kiosk. Het is essentieel dat hij het slechte nieuws van ons hoort. Hoe ga je het hem brengen?'

Delia duwde de deur naar de brandtrap open, blokkeerde het automatische slot met haar aktetas en stapte naar buiten, het metalen platform op.

'Ongeveer zoals we het hebben besproken. De grote vraag is hoe hij zal reageren. Je weet wat hij ervan vindt als zijn bekwaamheid in twijfel wordt getrokken.'

'Uiteraard, want die heeft hij niet. Maar het programma levert ons hier bij de zender een vermogen op, plus een vermogen voor Lo Chef en een bijzonder aardige carrière voor jou, schat. Dus laten we dat nu niet gaan verknallen, alleen omdat Romano Rinaldi niet tegen een grapje kan. En meer was er niet mee bedoeld.'

Door een laag overkomend vliegtuig op de aanvliegroute naar Ciampino werd het gesprek even opgeschort.

'Weet je dat zeker?' schreeuwde Delia boven het laatste resonerende gedreun uit.

'Honderd procent. Mijn mensen hebben vandaag navraag gedaan bij die van Ugo. Bovendien, niemand van ons publiek zal het een bal kunnen schelen wat een professor in de semiotiek uit Bologna denkt. Het enige wat Romano hoeft te doen is het hele voorval negeren, dan is het over een paar dagen vergeten.'

Delia keek op haar horloge.

'Ik moet gaan. Hij kan ieder moment de studio uit komen.'

In feite had ze nog minstens vijf minuten, maar Delia had nooit de kunst onder de knie gekregen om een mobiele-telefoongesprek te voeren en tegelijk een sigaret op te steken, en het was niet zozeer een kop koffie als wel een sigaret waaraan ze dringend behoefte had alvorens haar nerveuze cliënt te trotseren. Ongehuwd, zeer ambitieus, met dertien jaar eicellen reeds verspild en een *molto simpatico* doch totaal incompetente partner, wist Delia dat ze het zich niet kon permitteren om dit baantje te verliezen.

Na het behalen van een bescheiden universitaire graad had ze zich opgewerkt via allerlei voorlichtings- en public relationsbaantjes in het bedrijfsleven, voordat ze haar huidige betrekking in de wacht sleepte en de persoonlijk assistente werd van de beroemde kok wiens televisieprogramma *Lo Chef Che Canta e Incanta* elke week miljoenen trouwe kijkers trok. Bovendien bleven de kijkcijfers stijgen. Er waren zelfs contacten met andere Europese omroeporganisaties die geïnteresseerd waren in de uitzendrechten voor hun eigen land. En opeens duikt dan die linkse academicus en obscure romanschrijver op en verklapt hun geheim, al dan niet gekscherend of onbedoeld, waarmee heel de lucratieve deal op de klippen dreigt te lopen.

Delia mikte haar sigaret op het parkeerterrein beneden en ging weer naar binnen. Tot haar ontzetting stond het lampje boven de studiodeur op groen. Ze was te laat en Romano Rinaldi hield er niet van als men hem liet wachten. Ze duwde de deur open en rende naar het podium waar hij stond te zweten en te hyperventileren met zijn koksmuts op en zijn witte kokspak aan, dat die ochtend vier keer verschoond moest worden omdat hij zich onder had gespetterd met allerhande ingrediënten.

'Dit spijt me ontzettend, Romano!' verontschuldigde Delia zich buiten adem. 'Ik moest er heel even uit om een vertrouwelijk zakelijk gesprek aan te nemen. Ik wilde niet dat Luciano meeluisterde. Het ging over iets waarover we het moeten...'

'Het is niet erg,' onderbrak de ster haar en hij wierp zijn armen in de lucht als gooide hij overbodige vracht overboord. 'Ik hoef geen lof of applaus. Een groot kunstenaar is altijd tevens een groot recensent. Vandaag was ik geweldig! Dat weet ik instinctief, in mijn buik, in mijn hart!'

Hij greep Delia bij de arm en op zijn gezicht verscheen de brede, witblikkerende, met een baard omkranste lach, een van zijn beroepswaarmerken; het gezicht dat op de etiketten prijkte van de almaar langer wordende lijst sauzen, oliën, keukengereedschap en andere producten die onder het handelsmerk Lo Chef op de markt waren gebracht.

'Ik word steeds beter, Delia,' vertrouwde hij haar toe. 'Dit is nog maar het begin van de rijke, vruchtbare middenperiode die het publiek altijd zal bijblijven. De komende jaren...'

Hij slaakte een lange, diepe zucht, omdat hij woorden tekortkwam om op adequate wijze de glorie te beschrijven die hem in de toekomst wachtte.

Delia tikte hem op de schouder.

'Ik begrijp het, Romano. En ik ben het helemaal met je eens. Maar nu moet je je gaan verkleden en daarna moeten we heel even met elkaar praten. Ik begrijp dat het je erg slecht uitkomt, zo na een fantastisch optreden, maar er zijn enkele belangrijke en dringende kwesties die we moeten bespreken.'

'Ja, ja! Geef het me! Geef het me, heet en hard!'

Koning Antonio zat naakt op zijn troon te kreunen, te zweten en te smeken. Daarna werd zijn gezichtsuitdrukking er een van schrik, van angst bijna.

'O, god, het komt! Ah! Oh! Nee, ik kan het niet! Het is te groot! Het scheurt me uit! O, god, dit verdraag ik niet!'

Op het allerlaatste moment, juist toen hij door de stekende pijnen van onderen wist dat hij bezig was zichzelf ernstig te verwonden, ontspande zijn sluitspier zich die cruciale paar millimeter. Daarna de stokkende adem, de tranen en het gekreun, gevolgd door een triomfale lozing en het heerlijke gevoel van totale voldoening.

Vervolgens kwam de verkwikkende douche, alleen kwam Tony er volkomen onverkwikt onder vandaan. Na kort beraad met zichzelf sloeg hij zes paracetamoltabletten achterover die hij wegspoelde met water uit de wastafelkraan. Ze zouden zijn lever geen goed doen, hoofdzakelijk door zijn strenge regime van een fles bourbon per dag, maar in elk geval zouden ze de barstende hoofdpijn verlichten, die hem al plaagde sinds het moment dat hij wakker werd.

Toen hij zich oprichtte zag hij zichzelf in de spiegeldeur van de badkamerkast. Hij was geschokt door zijn spiegelbeeld. Zijn voorhoofd was tot twee keer zijn normale omvang gezwollen en bleek erg gevoelig toen hij het aanraakte. Onmiddellijk dacht Tony aan kwaadaardige gezwellen, maar aangezien het ding er gisteren absoluut niet had gezeten, leek een buil toch waarschijnlijker. De huid vertoonde een regenboog van tinten roze, rood, paars, blauw en zwart, maar lag niet open.

Terwijl hij naar de slaapkamer liep probeerde hij rustig te worden en de kwestie in het juiste perspectief te zien. Tenslotte zat zoiets in zijn werk ingebakken. Het was zwaar om de top-*investigatore privato* in Bologna te zijn, maar iemand moest het doen. Toch wou hij dat hij zich iets duidelijker kon herinneren wat er de vorige avond was gebeurd. Hij wist dat hij zijn vorige vriendin de laan uitgestuurd had, maar uitsluitend omdat hij dat met iedereen deed die deze positie bekleedde op de laatste dag van iedere maand. Privédetectives konden geen stabiele, langdurige verhoudingen hebben. Het waren complexe, onthechte eenlingen, die thuis waren in de onguurste stukken van de grote stad; mannen die dan hun tekortkomingen mochten hebben maar gecorrumpeerd noch bang waren. Bovenal, ze moesten lijden.

En lijden was wat Tony Speranza zonder meer deed toen hij zich moeizaam aankleedde en naar de keuken liep om koffie te zetten. Het aldus ontstane brouwsel bracht nog meer lijden teweeg. Om dat te verlichten stak Tony een Camel zonder filter op, brak een nieuwe fles Jack Daniels aan en sloeg een stevige slok achterover. Wat was er gisteravond verdomme gebeurd, afgezien van de schreeuwpartij met Ingrid of hoe ze ook mocht heten.

Schreeuwpartij. Voetbalpartij. Natuurlijk, hij was naar het stadion gegaan om de kornuiten van zijn doelwit te bekijken, ze na afloop van de wedstrijd te fotograferen met zijn ultrahippe digitale camera die hij onlangs had aangeschaft, nauwelijks groter dan een lucifersdoosje. Het vergde heel de ervaring van de superberoeps die hij was om dat te doen zonder gesnapt te worden, maar hij had zijn missie volbracht. Nu was het enkel een kwestie van de fotobestanden op zijn desktop zetten en ze aan *l'avvocato* mailen. Alleen, waar was de camera? Hij keek in de zakken van zijn overjas, klopte daarna op die van zijn pak. Zijn portefeuille en sleutels, opschrijfboekje en pen waren allemaal aanwezig en in goede orde. Zo niet de camera. En niet...

O, shit, dacht hij. O, fuck. O, god.

Eerlijk gezegd had Tony feitelijk geen pistool nodig. Negenennegentig procent van zijn werk kwam van echtscheidingen, jaloerse echtgenoten en het in de gaten houden van de kinderen van plaatselijke families, die bezorgd waren dat hun kostbare gebroed in slecht gezelschap kwam te verkeren of, erger, verslaafd raakte. *La sicurezza di sapere tutto, sempre!!!* was de slogan die hij gebruikte voor zijn advertentie in de Gouden Gids en op de pamfletten voor onder de ruitenwissers van geparkeerde auto's. Het eigenlijke werk was vooral een kwestie van uitgerust zijn met de nieuwste observatieapparatuur en af en toe een nacht slaap opofferen om te posten voor het pand waar zich een overspelige relatie of een drugsfeestje afspeelde. Vrijwel nooit was er sprake van gewelddadigheden, zeker geen waaraan vuurwapens te pas kwamen.

Maar Tony Speranza kende en eerbiedigde de regels van het milieu. Privédetectives horen een pistool te hebben, dus had hij er een betrokken van een Servische oud-veiligheidsagent die indertijd eens een freelance klus voor hem had opgeknapt. Het was een M-75 semi-automatisch pistool, in zeer beperkte hoeveelheden exclusief geproduceerd in de Zastava-staatswapenfabriek. Het pistool kon onopvallend weggestoken worden in de ruime zakken van de dubbelrijs trenchcoat en het had een prachtige greep van walnotenhout en een zachtglanzende, blauwachtig gelakte loop, waarin Tony zijn naam had laten graveren in elegante cursieve letters. Om kort te gaan, een juweeltje. Het probleem was alleen dat hij het niet meer scheen te hebben. 'De zekerheid om alles te weten, altijd.' Het mocht wat! Op dit moment zou Tony al genoegen genomen hebben met zich af en toe redelijk zeker voelen over wat dan ook.

Deze gedachtegang werd verstoord door de telefoon.

'Tony Speranza, investigatore privato,' zei hij automatisch.

'U spreekt met het kantoor van avvocato Giulio Amadori,' zei een vrouwenstem.

Tony lachte en nam een slok bourbon.

'Nou, da's voor het eerst dat ik met een kantoor spreek!'

'Avvocato Amadori wenst op de hoogte gesteld te worden van de huidige stand van zaken met betrekking tot de onbeantwoorde punten in de aangelegenheid waarvoor hij u in dienst heeft genomen.'

'Verbind me door, schat, verbind me door.'

'Avvocato Amadori bevindt zich op dit ogenblik niet aan zijn bureau.'

'Dan praat ik toch met zijn bureau.'

'Het betreft het fotografisch bewijs waarover u en hij gesproken hebben.'

Tony begon opnieuw te lachen en stak nog een Camel op. 'Weet je, ik wed dat jij helemaal geen kantoor bent. Je hield me gewoon voor de gek. Ik stel je me voor als een verrukkelijke blondine met een verleidelijke blik in haar ogen, waarvan platina zelfs op twintig meter afstand nog zou smelten; als een vrouw die weet waar alle lijken begraven zijn en die het moordwapen in haar jarretelgordel heeft gestoken.'

'Om de kwaliteit van de dienstverlening te bewaken en om u te beschermen wordt dit gesprek opgenomen. Indien avvocato Amadori uw gedrag als onbehoorlijk beoordeelt, behoudt hij zich het recht voor om de noodzakelijke maatregelen te treffen.'

'Je meent het. Wat doet hij als hij nijdig wordt, rent hij soms naar de klokkentoren van de San Petronio om Quasimodo na te apen?'

'Dank u. Avvocato Amadori zal te zijner tijd van uw reactie op de hoogte gesteld worden.'

'Moet je luisteren, ik werk echt aan die klus. Maar voorzichtigheid is van het allergrootste belang en tot dusver heeft zich nog geen geschikte gelegenheid voorgedaan.'

Maar hij sprak tegen een dode lijn.

Hij legde de telefoon neer en schonk zichzelf nog eens in. Ik wist vanaf het begin dat de Amadori-zaak een doffe ellende zou zijn, fantaseerde hij. Van alle detectivebureaus in alle steden in de hele wereld, krijg uitgerekend ik die zaak. De nuchtere waarheid was dat het om niet meer dan een alledaagse observatieklus ging voor een yup van in de veertig wiens kind niet meer thuis woonde en dat elk contact met hem weigerde. Giulio's grootste zorg leek te zijn dat Vincenzo problemen met de politie zou krijgen en dat dit zijn eigen advocatenpraktijk in diskrediet zou brengen, hoewel hij een terloopse knieval maakte voor de eigentijdse gevoeligheid door te tamboereren op de reputatie van het gezin en de gevoelens van zijn vrouw. Hij was bereid om vijfhonderd vooruit te betalen voor bijzonderheden omtrent waar zijn zoon zoal uithing en met wie, en wat voor gewoonten hij erop na hield. En mogelijk zat er meer aan te komen voor vervolgonderzoek of interventies voortvloeiend uit die eerste informaties.

Tony Speranza zou veel liever zijn ingehuurd om een op het oog terloopse verdwijning te onderzoeken, die hem naar een sexy maar gevaarlijk stuk leidde, dat veel te verbergen had, zowel lichamelijk als crimineel. Maar hij wist uit ervaring dat zoiets in Bologna zelden gebeurde. Zijn enige aanknopingspunten waren een kiekje van de jongeman en de informatie dat hij de fanatieke FC Bologna-supporter uithing. Dergelijke fans waren steevast in het bezit van een seizoenkaart voor de Curva San Lucazijde van het veld en inderdaad, toen Tony op de avond van de eerstvolgende thuiswedstrijd naar het stadion aan de Via Costa ging, kreeg hij Vincenzo al weldra in het oog toen deze in een groep mede-*ultra's* opdook uit een van de betonnen trappenhuizen naar de tribunes. Na de wedstrijd schaduwde hij de groep tijdens langdurige feestelijkheden in diverse bars en clubs om ten slotte het doelwit huiswaarts te volgen naar een appartement midden in het stadscentrum.

Het was aan Tony's uitmuntende vakbekwaamheid te danken dat hij Vincenzo en zijn kornuiten niet was opgevallen bij deze gelegenheid, maar het zou te riskant zijn om deze actie met een zodanige regelmaat te herhalen dat ze voorzag in de constante observatie die zijn cliënt van hem verwachtte. Een volgzendertje was daarom wenselijk en de vraag werd waar dit te installeren. De handigste plaats hiervoor zou de auto van het doelwit zijn, maar inmiddels had Tony vastgesteld dat Vincenzo er geen bezat. Het gebruikelijke alternatief was een persoonlijk eigendom of een kledingstuk dat veelvuldig gedragen werd, en op dit punt had Tony meer geluk.

De Amadori-knul bracht veel van zijn tijd slapend of lummelend door in het appartement, dat hij deelde met ene Rodolfo Mattioli, een onschuldige, incapabele doctoraalstudent die niet met het doelwit leek om te gaan. Ook was er nog een meisje, een roodharige spetter. Tony had haar tot aan haar nestje geschaduwd en hij was stellig van plan haar in de zeer nabije toekomst een bezoekje te brengen. Echter, de activiteiten die l'avvocato zorgen baarden, betroffen onveranderlijk enkelen of allen van de ploeg voetbalfans en wanneer Vincenzo met hen op stap ging trok hij steevast een ruig ogend, zwartleren jack aan, waarvan het rugpand versierd was met een ovaal van glimmende metalen knoppen met daarin een opdruk van het officiële clubembleem en de tekst BFC 1909.

Het volgende probleem waarvoor Tony zich gesteld zag was de toegang tot dat jack. Hij nam diverse mogelijkheden in overweging, maar uiteindelijk presenteerde het lot hem de oplossing op een dienblaadje. De kans deed zich voor bij een thuiswedstrijd tegen het machtige Juventus, waarbij het Renato Dall'Ara tot de nok toe vol zat. Uiteindelijk verloor Bologna als gevolg van een omstreden strafschop en derhalve was de stemming van de naar buiten stromende fans verre van sereen. Er was een grote politiemacht aanwezig, die poogde de *tifosi* van beide teams afzonderlijk bij het stadion weg te dirigeren, maar de harde kern van beide supportersgroepen kon bogen op een lange ervaring met veel genadelozer vormen om menigten in toom te houden dan de lokale autoriteiten geneigd waren voor te schrijven, gewend als ze in het linkse Bologna waren aan terughoudend optreden. Al vrij snel wisten degenen die niet alleen voor de wedstrijd waren gekomen maar ook om te kunnen vechten weg te glippen via zijstraten en stegen en zodra de politie zich verspreidde, hergroepeerden ze zich op het parkeerterrein van een dichtbij gelegen Coöp-supermarkt. Tony volgde de groep waarvan Vincenzo deel uitmaakte op voorzichtige afstand en probeerde eruit te zien als een gewone, huiswaarts kerende burger.

Toen ze het verlaten, slecht verlichte parkeerterrein bereikten, werd duidelijk dat de Juve-supporters hun tegenstanders in aantal overtroffen, zo ongeveer twee op één. Dit numerieke overwicht werd groter toen een aantal *rossoblù*-vandalen onder het voorwendsel dat ze moesten pissen in de bosjes aan de rand van de weg verdween en niet meer terugkwam. Al snel werd duidelijk dat ze hiermee een wijs besluit hadden genomen. De knokpartij duurde niet langer dan twee minuten, waarna het Bologna-contingent zich uit de voeten maakte onder gejouw en gelach van de Torinesi. Heel het contingent, op Vincenzo Amadori na. Hij hield stand, wierp zijn vijanden schunnigheden en scheldwoorden naar het hoofd en daagde hen uit het tegen hem op te nemen, wat ze prompt deden. Amadori belandde in foetushouding op het asfalt, waar hij nog enkele gemene schoppen kreeg voordat de aanvallers de sport beu werden en afnokten.

Tony Speranza had zich aan de andere kant van het parkeerterrein schuilgehouden achter een bestelwagen. Nu kwam hij te voorschijn en rende vlug naar Vincenzo Amadori, die zachte kreungeluidjes maakte. Omdat geen van zijn makkers hem te hulp leek te komen, ritste Tony het leren jack open en vouwde een voorpand om. De gewatteerde, satijnen voering was doorgestikt in een ruitpatroon. Tony pakte zijn Xacto-mes en zette een sneetje in het stiksel van een zo'n ruit. Daarna duwde hij het heft van het mes naar binnen en scheurde de voering iets verder open. Hij schoof er een voorwerp in, ongeveer even groot als een pakje sigaretten, maar even zacht van ronding als een rolsteen op het strand en niet zwaarder ook. Dit plaatste hij in het midden van de gewatteerde holte, om daarna beide kanten hard aan te drukken, zodat de velcrowikkel zich aan de stof zou hechten. Dertig seconden later stond hij in een telefooncel op de Via Costa en verzocht anoniem of er een ambulance naar het Coöp-parkeerterrein gestuurd kon worden. Nu hij erin was geslaagd het zendertje te plaatsen, had hij er belang bij om Amadori zo snel mogelijk weer op de been en actief te krijgen.

Het apparaatje in kwestie bestond feitelijk uit het binnenwerk van een mobiele telefoon, zonder de zware microfoon, luidspreker en andere franje, maar wel met de microchips die reageerden op een aantal verschillende netwerken. Eens per uur zette het apparaatje zichzelf aan om contact te maken met de dichtstbijzijnde ontvang-zendmast van elk van die bedrijven en de data door te bellen naar Tony's computer, waar een hip stukje software de aldus uitgevoerde driehoeksmeting vertaalde in een tijdkaart waarop de positie van het doelwit op dat moment met een sterretje werd aangegeven. Mochten er vragen rijzen over waar Vincenzo zich op een bepaald moment ophield, dan was Tony ingedekt zonder het saaie en potentieel lastige corvee van achter de kleine rotzak en zijn kornuiten aan te moeten lopen.

Twee onderdelen van de opdracht waren dus afgerond. Het derde bestond uit de serie foto's die hij de vorige avond had gemaakt, maar die hij was kwijtgeraakt toen hij werd aangevallen en beroofd van zijn minicamera en pistool. Hoe was dat verdomme gebeurd? Vincenzo Amadori en zijn maten hadden hem, zeker weten, niet in de gaten gekregen, dacht Tony, terwijl hij in zijn dubbelrijs trenchcoat schoot en zijn slappe deukhoed en vliegeniersbril opzette, die hij via internet had gekocht van een Amerikaanse, in retrospullen uit de jaren dertig gespecialiseerde handelaar. Was dat wel zo geweest, dan had hij dat onmiddellijk geweten. Een ervaren speurder wist altijd wanneer hij 'gespot' was, zoals dat in het vak heette.

Hij verliet het appartement en liep de trap naar de straat af. De voorruit van zijn gehavende Fiat was bedekt met een dun laagje korrelige, grauwe sneeuw waaruit een achter de ruitenwisser gestoken parkeerbon stak. *Comune di Anco-*

na luidde het bovenschrift. Eronder stond in handschrift het bedrag van de boete, die binnen dertig dagen betaald diende te worden op straffe van... Hij kreunde toen de details van de vorige avond hem eindelijk weer te binnen schoten. Natuurlijk! Hij was inderdaad naar een voetbalmatch geweest, alleen niet in het stadion hier in Bologna. De wedstrijd, die om wat voor reden ook midden in de week werd gespeeld, was een uitwedstrijd tegen de regionale rivaal Ancona, en Tony was keurig naar die stad gereden met het oogmerk het fotodossier van Vincenzo's gabbers af te ronden.

Hij startte de auto en even werd de omgeving aan het gezicht onttrokken door de dikke sluier uitlaatgas. Hij wist nu weer hoe het zat, dacht hij. Hij had de kliek die hij zocht gelokaliseerd, ook al droeg het doelwit opeens zijn leren jack niet. Na afloop van de wedstrijd was hij ze naar een bar gevolgd en had daar buitengewoon voorzichtig scherpe opnames van de hele groep gemaakt. Taak eenmaal volbracht, ging hij naar het toilet achter in de bar om snel te pissen alvorens op huis aan te gaan.

Van wat er daarna gebeurde, herinnerde hij zich alleen vaag dat de deur open knalde en iemand zijn hoofd tegen de betegelde muur voor hem sloeg. Toen hij weer bij zijn positieven kwam zat hij op handen en knieën met zijn gezicht in de pot van het urinoir. Tegen de tijd dat hij zich had opgeknapt en in de bar terugkeerde, waren Vincenzo en zijn vrienden niet langer daar. Om zichzelf op te peppen had Tony enkele stevige whisky's besteld en vervolgens moest hij op de een of andere manier naar huis gereden zijn en het tot in zijn appartement gered hebben, voordat hij volledig gekleed op het bed van zijn stokje ging.

Kortom, hij had één fout gemaakt, constateerde hij met enige tevredenheid, terwijl hij schakelde en de auto achterwaarts de parkeerhaven uit reed. Hij was er zo op gespitst geweest om onopgemerkt de kring die rond Vincenzo stond te kieken dat hij het feit dat er nog anderen in de bar aanwezig waren over het hoofd had gezien. In het ordelievende Bologna had dit er niet toe gedaan, maar Ancona was een havenstad waar het krioelde van armoedzaaiers, illegale immigranten en misdadige elementen van allerhande soort. Een van hen moet de kleine, chique Nikon die zo lekker in Tony's hand lag zijn opgevallen en toen besloten hebben zich deze toe te eigenen.

Met een nonchalant schouderophalen sloeg hij rechtsaf de hoofdweg naar het centrum in. Alles welbeschouwd was het niet zo ernstig. Hij kon een nieuwe camera kopen en het pistool had hij niet echt nodig. Feitelijk had de eenzame dief hem een gunst bewezen. Voorvallen als deze bevestigden slechts zijn status als echte privédetective. Iedereen wist dat privédetectives aan de lopende band neergeknuppeld werden. Het hoorde bij het werk, vooral als je moest opereren in een ruig, meedogenloos deel van de wereld, zoals Emilia-Romagna.

Er hadden altijd kanten aan het leven gezeten die Aurelio Zen problematisch vond, ook in de gouden jaren voordat zijn medische midlifecrisis hun aantal tot vrijwel oneindig liet aanwassen. Eén ervan was ruw gewekt worden uit een diepe slaap, een andere met wildvreemden moeten praten aan de telefoon. In de ochtend volgend op zijn terugkeer uit Rome werd hij geconfronteerd met beide.

Eerst werd hij het land der levenden in gebruld en gebeukt door een boosaardige figuur in een witte pij, die bij nadere beschouwing Gemma bleek te zijn. Ze had onder de douche haar haren staan wassen toen de telefoon ging, en haar inspanningen om Zen te wekken maakten dat er een secundaire douche op zijn gezicht spatte, dat nog de sporen droeg van een snel vervagende uitdrukking van zalige onwetendheid.

'Het is voor jou!' schreeuwde Gemma met de telefoon zwaaiend, terwijl ze met haar andere hand het microfoongedeelte afdekte. 'Je werk! Het schijnt dringend te zijn!'

Ze beklemtoonde dit laatste met een schop, die miste aangezien Zen zich precies op dat moment in bed omdraaide. Prompt verloor Gemma haar evenwicht en in een vergeefse poging om overeind te blijven liet ze de telefoon vallen en zat zelf vrij plotseling op de grond. Dit maakte dat zij begon te schelden en dat Zen een lachbui voelde opkomen waardoor hij al snel klaarwakker was.

Zoals meestal tegenwoordig was Gemma niet in staat om de amusantere kant van de situatie te zien en Zen luidkeels uitscheldend met een reeks lelijke krachttermen stormde ze de kamer uit. Hierbij sloeg ze de deur zo hard achter zich dicht dat hij weer opensprong. Zen, wiens aanvankelijke geamuseerdheid rap wegzakte, stond op om de deur goed dicht te doen. Wat moest dit allemaal voorstellen? De zoveelste irrationele en onvoorspelbare hysterische aanval. Een nieuwe heerlijke dag op de Via del Fosso was aangebroken. Uit de telefoon die op de grond lag leken gorgelende geluiden te komen. Hij raapte hem op.

'Pronto?'

'Spreek ik met Aurelio Zen?' blafte een stem in zijn oor.

Zen glimlachte het stuk plastic sarcastisch vleierig toe.

'Nou en of!' verklaarde hij gemaakt grappig. 'In hoogsteigen persoon, in levenden lijve nog wel. En, mag ik u vragen, met wie heb ik de eer?'

'Gaetano Foschi.'

Er ging Zen een lichtje op, maar pas nadat de beller hem korzelig uitvoeriger had ingelicht, kon hij de naam koppelen aan de opvliegende, werkverslaafde zuiderling die subhoofd was van de afdeling Criminalpol van het ministerie van Binnenlandse Zaken.

'Wat gebeurt daar bij jou in vredesnaam?' vroeg Foschi op hoge toon. 'Het lijkt daar wel een gekkenhuis.'

'Zo voelt het ook vaak.'

'Wat? Waarom neem jij je diensttelefoon niet op?'

'Omdat hij niet aanstaat.'

'Waarom niet?'

'Ik ben met ziekteverlof.'

'Zegt wie?'

'*Dottor* Brugnoli,' antwoordde Zen met het air van een schaakgrootmeester die schaakmat geeft.

'Ah, je bent een van Brugnoli's beschermelingen, is het niet? Welnu, het spijt me je te moeten mededelen dat het leven hier ietwat spartaanser is geworden tijdens je langdurige afwezigheid. Zoals in drop ze op de berg en zie wie het overleeft.'

'Ik kan u niet helemaal volgen.'

'Bel me terug op je versleutelde telefoon. Deze lijn is niet veilig.'

Toen Zen dit deed, stelde Foschi hem ervan op de hoogte dat Brugnoli, Zens beschermer op het ministerie, na een 'regeringscrisis' en een herschikking van ministersposten, die totaal aan Zen voorbij waren gegaan, het aanbod van een toonaangevende bank had aangenomen om er consultant te worden.

'Dat wist ik niet,' legde hij zwakjes uit. 'Ik heb een operatie moeten ondergaan en sindsdien ben ik voor onbepaalde tijd met ziekteverlof.'

'En wel zeer onbepaald,' repliceerde Foschi. 'Zodanig zelfs dat er helemaal niets over is vastgelegd in de personeelsdatabase.'

'Dottor Brugnoli zei me dat hij dat allemaal zou regelen.'

Foschi lachte schamper.

'Vast wel, maar dat was voordat hij zijn eigen aftocht regelde naar de graziger weiden van de particuliere sector. Sindsdien houden wij ons weer strikt aan de regels, volgens welke jij per direct beschikbaar bent voor de actieve dienst. Of wil jij zeggen dat dit niet het geval is?'

Zen dacht even na. Waarschijnlijk kon hij wel een brief van de specialist loskrijgen, die hem nog een maand of zo van dienst zou vrijstellen en zijn geval zou uitleggen en documenteren. Aan de andere kant...

'Wat had u in gedachten?' vroeg hij.

'Die kwestie-Curti.'

Zen had geen idee waarover Foschi het had, maar vond dat hij voor een ochtend al genoeg een slecht figuur geslagen had. Daarom besloot hij te bluffen.

'Wat wilt u precies dat ik doe?'

Foschi zuchtte diep.

'Het is absurd dat jij niet hier in Rome woont, zoals alle anderen, Zen. In het licht van de veranderde situatie moeten we daar misschien eens naar kijken. Het zou de zaken zoveel makkelijker maken als we dit persoonlijk konden bespreken.'

Zen zei niets.

'Maar goed,' sprak Foschi verder, 'de questura in Bologna

neemt het feitelijke onderzoek voor haar rekening, maar er moet iemand van ons naar toe om het ministerie van de ontwikkelingen op de hoogte te kunnen houden. Jouw naam werd genoemd.'

'Waarom zouden ze mij dingen vertellen die ze jullie niet vertellen?'

Zijn intuïtie zei hem dat botheid de beste manier was om tot het orgaan te spreken dat Foschi's hart verving.

'Zullen ze ook niet doen. Maar ze zullen ze jou eerder vertellen en bovenal zul jij in de gelegenheid zijn om ons te melden wat ze ons niet vertellen.'

'Waarom zouden ze willen proberen om de waarheid achter te houden? We spelen allemaal voor hetzelfde team.'

'Ik zeg niet dat ze het per definitie zullen doen. Maar ze zullen onder enorme druk staan om snel met resultaten te komen. Lorenzo Curti was beroemd en berucht, niet alleen in Emilia-Romagna maar op nationaal en zelfs internationaal niveau, een ondernemer-miljonair die eigenaar was van FC Bologna en ook aandeelhouder met een meerderheidsbelang in een zuivelconglomeraat waarnaar thans onderzoek wordt gedaan in verband met belastingontduiking en ernstige fraude. Kortom, sinds het Uno-Biancafiasco is er in het district Bologna geen zaak meer geweest die zoveel publiciteit belooft te krijgen als deze.'

Het duurde even voordat Zen zich de seriemoorden herinnerde die aan het eind van de jaren tachtig rond Bologna waren gepleegd en waarin een witte Fiat Uno figureerde. Eveneens herinnerde hij zich dat de daders, toen ze ten slotte terechtstonden, vrijwel allemaal politiemannen bleken te zijn die bij de Bolognese questura werkten en dat velen van hen betrokken waren bij het onderzoek naar hun eigen misdaden. Het kostte jaren voordat het moreel binnen de Polizia di Stato zich hersteld had van dit schandaal.

'Een gewaarschuwd man telt voor twee,' concludeerde Foschi. 'Jouw taak bestaat er niet uit dat je de leiding van het onderzoek op je neemt, maar dat je volledig op de hoogte blijft over de voortgang en dat je de ontwikkelingen persoonlijk aan mij rapporteert, dagelijks en indien nodig vaker. Op die manier zijn we klaar voor de aasgieren van de media indien ze beginnen rond te cirkelen.'

'Ik begrijp het.'

'Hoe snel kun je daar zijn?'

Zen wilde Foschi er net aan herinneren dat hij nog niet had toegezegd te zullen gaan, maar vrijwel tegelijk drong het besef bij hem door dat hij dat wat Foschi betrof wel had gedaan.

'Over een paar uur.'

'Prima. Ik zal laten weten dat ze je na de lunch kunnen verwachten.'

Toen Gemma binnenkwam, was Zen al gedoucht en aangekleed en druk bezig met inpakken. Zonder het minste excuus voor de gemene scheldwoorden die ze hem had toegevoegd tijdens hun laatste confrontatie, begon ze haar kleren bijeen te rapen. Onmiskenbaar zou dit opnieuw een dag worden waarop ze 'niet spraken'. Iemand anders deed dat echter wel.

'... dus vergeet volgende week niet te kijken, wanneer Romano op bedevaart gaat naar de tempel van de enige echte Parmigiano Reggiano!'

'Geloof het of niet, er is niet minder dan zestien liter van de heerlijkste, vetste, verste melk voor nodig om één kilo te maken van dit, de Jupiter onder de kazen die de baas speelt over het plebs van mindere goden. En daarna rijpt hij maar liefst twee jaar op volkomen natuurlijke wijze, volgens de tradities van zeven eeuwen. Er komt geen kunstmatige ingreep om het proces te versnellen aan te pas...'

Op de televisie in de woonkamer, zichtbaar omdat de deur openstond, waren tevreden grazende koeien te zien, emmers romige, zuivere melk die in vaten werd overgegoten en vervolgens gekookt in een grote ketel boven een open vuur, terwijl authentiek ogende boeren met stokken in het brouwsel roerden. Deze beelden werden afgewisseld met close-ups van een in kokspak gehesen dubbelganger van Luciano Pavarotti, die de kijker blikkerende tanden en een stralend gezicht liet zien terwijl hij delen van Verdi's *Celeste Aida* uitbulkte.

'Zou jij je excuses niet eens maken?' vroeg Gemma, die met haar bundeltje kleren in de deuropening bleef dralen. Het was inmiddels gewoonte dat ze zich in de logeerkamer aankleedde. Het leek een kwestie van tijd totdat een van hen tweeën daar ging slapen.

'Ik zou jou hetzelfde kunnen vragen,' reageerde Zen mild.

'Waar moet ik mijn excuses voor maken?'

'Dito.'

'Omdat je je er sadistisch vrolijk over maakte toen ik viel! Je lag daar maar te giechelen in plaats van dat je me overeind hielp of me, op z'n minst, vroeg of ik me bezeerd had. En het gebeurde alleen maar omdat ik onder de douche vandaan kwam om je te wekken voor dat achterlijke telefoontje van je.'

Zen schoof diverse lagen sokken in een leeg hoekje van de koffer. Kennelijk had hij nog maar één schoon onderhemd. Nou ja, hij zou er in Bologna wel een paar kopen en ze in het hotel laten wassen. Zoals de situatie nu lag kon hij het onderwerp vuil wasgoed beter niet ter sprake brengen.

'Ga je weg?' vroeg Gemma, nog steeds vanuit de deuropening.

Zen knikte. Nee, niet dat groene monster, besloot hij. Hij had het al in geen jaren gedragen, maar de door zijn moeder bij hem ingeprente zuinigheid liet zich niet zo snel uitroeien. De rest van zijn overhemden legde hij plat boven op de andere kledingstukken en daarna deed hij de koffer dicht.

'En, waar ga je dan naar toe?'

'Bologna.'

Op Gemma's gezicht verscheen nu iets dat op een uitdrukking leek, maar dat werd onmiddellijk onderdrukt.

'Hoezo Bologna?'

Zen stond op het punt om het haar te vertellen, maar besloot toen haar een poosje in het ongewisse te laten. Dat verdiende ze wel, zoals ze hém behandeld had.

'Jaren geleden was ik daar gestationeerd,' zei hij toen luchtig. 'Ik vond het er prettig en ik heb altijd naar Bologna terug gewild.'

Gemma nam hem onbewogen op en liet toen een gemaakt lachje horen.

'Ik zou je kunnen tegenhouden, hoor.'

'Je meent het.'

'Nou ja, voorkomen dat je opstapt kan ik niet. Maar ik kan er wel degelijk voor zorgen dat je een stuk minder van dit bezoek aan *La Grassa* geniet dan van je vorige. Eén telefoontje volstaat.'

Op zijn beurt lachte hij nu vreugdeloos.

'Ik betwijfel of je zoveelste tirade mijn verblijf zou kunnen verpesten. In elk geval hoef ik er dan niet naar te luisteren in dezelfde kamer als jij.'

'Maar ik zou jóú ook niet opbellen.'

Zen zette de koffer op de grond, ging rechtop staan en keek haar strak aan. Ze vertrok haar gezicht en haar ogen vernauwden zich.

'We hebben een telefoontje gekregen, dottor Zen.' Haar stemgeluid was een octaaf lager dan normaal en ze gaf een aardige imitatie weg van het Bolognese accent. 'Ene signora Santini, woonachtig op de Via del Fosso in Lucca, beweert dat u iets meer dan een jaar geleden een oud-officier van de *carabinieri*, ene Roberto Lessi, vermoord zou hebben in haar appartement en dat u haar vervolgens onder bedreiging met een vuurwapen dwong te helpen bij het u ontdoen van het lijk op zee. Voorts beweert zij dat u daarna bij haar introk en haar geestelijk en fysiek terroriseerde teneinde haar zwijgen af te dwingen. Ze is bereid om dit verhaal onder ede voor de rechtbank te herhalen. Daarom is het mijn plicht...'

Zwijgend namen ze elkaar behoedzaam op.

'Wat een gelul,' zei Zen ten slotte.

'Wees daar maar niet zo zeker van. Je beschuldigt me er altijd van dat ik irrationeel ben. En je weet van tevoren nooit wat irrationele mensen zullen gaan doen.'

Zen haalde zijn schouders op.

'Ik ben naar Bologna geroepen voor mijn werk, dat is alles. Eerlijk gezegd is het misschien niet zo slecht als we een poosje uit elkaar zijn. Ik heb het de laatste tijd in veel opzichten zwaar voor mijn kiezen gehad en ik ben bij vlagen ongetwijfeld moeilijk geweest. Ik weet dat jij moeilijk bent geweest. Misschien is een afkoelingsperiode wel precies wat we nodig hebben om de boel te kunnen relativeren.'

Gemma's gezichtsuitdrukking verzachtte enigszins, maar haar lichaam bleef gereed om te vechten dan wel te vluchten.

'Die keer op de boot, Aurelio, toen we voor Gorgona ankerden,' zei ze dromerig. 'Weet je nog? Jij zei me toen dat we elkaars gevangene waren. En zo begin ik me ook te voelen. Jouw gevangene.'

Zen knikte.

'Ik ook. Maar misschien kunnen we ons daar allebei overheen zetten. Ik hoop het.'

Hij pakte zijn koffer op. Gemma liep achterwaarts de woonkamer in en hield afstand.

'Wil je dat ik je naar het station rijd?'

'Nee, dank je. Ik red me wel.'

Meewarig schudde ze het hoofd.

'Nee, Aurelio. Dat is nu precies wat je niet doet.'

Hier stoorde hij zich niet aan.

'Nou ja, dan zal ik het moeten leren.'

'Mattioli, blijft u nog even?' zei de professor als terloops toen de rest van de studenten de kleine collegezaal verliet.

Hij zag de flits van bezorgdheid in de ogen van de jonge man en dit effect had hij zich ook gewenst. Het maakte deel uit van de charme en de stijl van Edgardo Ugo's post-1968 verflauwd linkse persona dat hij zijn doctoraalstudenten altijd met het vertrouwelijke *tu* aansprak en erop stond dat zij dat ook met hem deden. Dit keer echter, had hij het onpersoonlijke, op een afstand houdende *lei* gebruikt. Dat, en het gebruiken van Rodolfo's achternaam, maakten de boodschap bijzonder duidelijk.

'Ga zitten.'

Ugo raapte zijn spullen bij elkaar en was vervolgens geruime tijd bezig ze te schikken in zijn zichtbaar dure, vanzelfsprekend kunstambachtelijk vervaardigde koffertje, alvorens opnieuw aandacht aan de student te schenken.

'Je bent een slimme knaap, Mattioli, dus je begrijpt vast wel dat ik je na die laatste oprisping niet langer kan toelaten tot de bijeenkomsten van mijn werkcollege. Dit is niet persoonlijk bedoeld. Ik vind het in vele opzichten zelfs pijnlijk. Maar liet ik het na, dan zou ik mijn plicht verzuimen jegens de andere deelnemers aan de werkgroep. Zij hebben de uitgangspunten van de cursus begrepen en aanvaard en zijzelf of hun familie moeten zich niet zelden beduidende financiële opofferingen getroosten om deze colleges te kunnen volgen in de hoop om in de wereld vooruit te komen en een betekenisvolle bijdrage te leveren aan deze academische discipline. Ze zijn hier zeker niet om naar goedkope grappen en quasi-serieuze opmerkinkjes te luisteren van iemand die, zijn evidente intellectuele capaciteiten ten spijt, eigenlijk niets anders dan een *farceur* is.'

De jongen staarde hem strak aan met zijn zwarte ogen, waarin evenveel uitdrukking lag als in de trompen van een dubbelloops geweer, maar hij zei niets. Typisch een zuiderling, dacht Ugo. Hij weet dat er een oorlog is gevoerd, dat hij heeft verloren en dat er niets te bepraten valt. Later zou hij kunnen opduiken met een mes om me de keel door te snijden, maar hij zal zichzelf niet nog meer vernederen met zinloze protesten en slappe smeekbedes.

'Mocht u dit wensen, dan kunt u mijn hoorcolleges uiteraard blijven bijwonen,' vervolgde Ugo. 'Volgens de reglementen van de Universiteit van Bologna heeft u tevens het recht om uw afsluitende examen af te leggen en een scriptie in te leveren, maar om te voorkomen dat u eenieders tijd verdoet, voel ik me verplicht om u nú te vertellen dat ik in hoge mate betwijfel of deze inspanningen voor u zullen resulteren in een graad. Bovendien liggen de enige carrièremogelijkheden die openstaan voor een afgestudeerde in de semiotiek in de academische wereld. Men zou mij natuurlijk als deskundige om mijn oordeel over u vragen en de beroepsethiek zou me verbieden dat ik u aanbeval. Verder twijfel ik aan uw geschiktheid voor een dergelijke carrière, mocht het geval zich onverhoopt voordoen dat men u een baan in het vak aanbood. Er zijn tegenwoordig zo veel getalenteerde, uitstekend gekwalificeerde sollicitanten en zo weinig vacatures. Heel dikwijls wordt de beslissing bepaald door met wie de reeds aanwezige stafleden dagelijks te maken willen hebben, en stekelige, afstotende figuren die pronken met hun zogenaamde slimheid en onafhankelijkheid van geest door de draak te steken met hun meerderen blijken, als ik eerlijk moet zijn, zelden iemands eerste keus. Kortom, ik adviseer u de mogelijkheid te overwegen van een andere studierichting, een die beter past bij uw temperament en mentaliteit. Technische wetenschappen, misschien. Of tandheelkunde.'

Dit gezegd hebbende liet Ugo de in stilzwijgen gehulde

jongeman zitten waar hij zat en verliet de collegezaal. Op de Via de Castagnoli hield hij een taxi aan en liet zich naar zijn buitenhuis rijden. Oorspronkelijk had hij op de fiets het kleine stukje naar zijn huis in de stad willen rijden, dat hij overdag als wijkplaats gebruikte en soms om te overnachten, maar opeens moest en zou hij weg uit de stad. Waar kwam dat onbehaaglijke gevoel vandaan? Zijn besluit was correct geweest en correct uitgevoerd, afgezien van de twee slotzinnen misschien. Maar Mattioli verdiende het al een poosje. Dat ettertje had zich van meet af aan provocerend gedragen.

Een verhaal dat Edgardo Ugo bij zijn werkcollege altijd weer uit de kast trok, was dat men in onze post-betekeniscultuur geen enkele tussenstap meer hoefde te maken om van het sublieme tot het potsierlijke te komen. Het ging louter om een alternatieve keuze uit een oneindig menu van interpretaties. Hij had dit nog niet in het midden gebracht tijdens het openingscollege dit semester of Rodolfo had erop gereageerd met: 'Neemt u me niet kwalijk, *professore*. Wilt u hiermee zeggen dat als er een opname van het andante van Mozarts KV364 wordt gedraaid in de cel waar een politieke gevangene martelingen ondergaat, hoe hij of zij die muziek ervaart eenvoudigweg een functie van de consumentenkeuze is?' Op dat moment voelde Ugo dat Mattioli een lastpak was. Dat hij het Köchelnummer van de *Sinfonia Concertante* kende, bijvoorbeeld. Ugo deed die dingen precies zo: boezem ze ontzag in met je beheersing van ondoorgrondelijke, gedocumenteerde details en ze slikken je betwistbare stelling zonder een kik te geven.

Maar vandaag was Mattioli te ver gegaan, niet alleen had hij verkondigd dat woorden betekenis bezaten, maar ook dat de relatie tussen taal en werkelijkheid – hoewel deze veranderlijk was en constant grondige aandacht behoefde – door haar aard (!) zowel authentiek als verifieerbaar was. 'Feit is dat er een echte wereld is en die bestaat onafhankelijk van enigerlei mogelijke representatie ervan en dat op zijn beurt bepaalt zulke representaties,' concludeerde hij met het air van de jonge Luther die zijn stellingen op de kerkdeur spijkert.

Edgardo had deze klinkklare onzin afgehandeld op zijn gebruikelijke hoffelijk charmante manier, ontlokte zelfs waarderend gelach aan de andere studenten voor zijn erudiete humor toen hij Mattioli er sarcastisch op wees dat het zich beroepen op Giambattista Vico's *'sensus communis generis humani'* zo lang na dato niet wat je noemt *Scienza Nuova* was – meer gelach. Evengoed, genoeg was genoeg. Men moest zekere maatstaven verdedigen en essentiële waarheden hooghouden. Zoals hij al tegen Rodolfo zei, het zou plichtsverzuim van zijn kant zijn geweest als hij anders had gehandeld. Dus waarom dan voelde hij zich een beetje vuil, zoals wanneer er een stukje vlees of spinazie tussen je tanden komt vast te zitten en je het niet helemaal kunt verwijderen met je tong?

Twintig minuten later was hij terug in het weidse landschap en de schone lucht waarin zijn villa stond, iets van de weg af aan een afgelegen laan die zich door de heuvels boven Monte Donato slingerde, tussen de rivieren de Reno en de Sàvena; op slechts vijf kilometer afstand van de stad, die in de diepte lag uitgespreid als was het een landkaart, en toch was het hier nagenoeg een geheel andere wereld. Om wat voor reden ook zat de confrontatie met Rodolfo Mattioli hem nog steeds dwars. Hij besloot het van zich af te zetten door wat te gaan werken.

Er verstreken twee uren en de schemer achter het raam werd dichter, voordat Edgardo zijn Mont Blanc vulpen – serie 4810, gelimiteerde oplage en even dik als een stompachtige maar volledig opgerichte penis – neerlegde op het blad zwaar, geschept Fabriano-papier – rijk aan linnen en met de hand vervaardigd volgens sinds de dertiende eeuw vrijwel onveranderde methoden – en daarna met zorg de diepzwarte, bewerkte dop terugdeed op zijn met rodium versterkte glans van 18-karaats goud. Hij had voor deze schrijfmaterialen gekozen als zijnde passend voor de taak die hij zojuist had volbracht, het uitscheiden van een goedkoop stuk wollige journalistiek, bestemd ter promotie van de recentelijk uitgekomen film – vaagjes gebaseerd op een verkeerde interpretatie van de oppervlakkige verhaallijn van zijn bekendste roman – in een of ander Amerikaans showroddelblad dat in supermarkten aan zielige half-alfabeten werd verkocht.

Maar zoals altijd was de keuze geen makkelijke geweest. Elk der kamers op de bovenverdieping van de villa was een scriptorium en elk was geheel anders ingericht en toegerust. Het was een kwestie van de juiste ruimte kiezen voor de ter hand te nemen taak en Edgardo had er altijd minstens vijf tot zijn beschikking. Voor een artikel dat gepubliceerd ging worden in het prestigieuze wetenschappelijke tijdschrift *Recherches Sémiotiques*, met als voorlopige titel 'De coherentie van incoherentie' – als parodiëring op de beroemde verhandeling *Tahafut al-Tahafut* van de twaalfde-eeuwse moslimgeleerde die in het Westen bekend is onder de naam Averroes en wiens Arabische naam Ibn Rushd de mogelijkheid opende voor het soort woordgrapjes over de auteur van *De duivelsverzen* waarom Ugo terecht vermaard was – werkte hij aan een IBM-werkstation dat via een optische vezelkabel verbonden was met de Unix-mainframe van de Universiteit van Bologna. Ondertussen verloren substantiële stukken van zijn nieuwe metafictie, *Werk in ontwording*, in rap tempo hun vorm doordat ze via zijn laptop naar een primitieve vertaalsite werden verstuurd, waar ze eerst werden verhaspeld in het Bulgaars of Wels en vervolgens weer in het Italiaans.

Het componeren van zijn bijdrage aan een ophanden zijnd wetenschappelijk congres over de semiotiek van sms'en op de Université de Paris daarentegen, speelde zich af staande op een vijftiende-eeuwse, uit steen gehouwen preekstoel, afkomstig uit de privékapel van een inmiddels afgebroken palazzo, waarbij hij de tekst met een sonoor stemgeluid dicteerde aan een digitale recorder van het merk Sony. Van weer een andere kamer waren de luiken permanent gesloten en de enige lichtbron daar was een kaal peertje van honderd watt dat boven het kloeke, zwaar gehavende bureau hing. Hier ramde Ugo, in hemdsmouwen en met een groen oogscherm op, zijn wekelijkse column voor een opinieblad met een gigantische oplage uit een ouderwetse Olivetti-M44-typemachine, die dateerde uit zijn geboortejaar. Tegenwoordig kreeg je vrijwel nergens nog carbonpapier, daarom liet hij af en toe enkele tientallen dozen per vliegtuig aanvoeren uit India.

De column genereerde zowel geld als publiciteit, maar van beide had Edgardo al zat. In feite was zijn hele carrière er, ondanks zijn eminente postmodernistische geloofsbrieven, het levende bewijs van dat praatjes over het einde van de schrijver zwaar overdreven waren. De journalistiek deed hij er voor de lol bij, als uitlaatklep voor zijn meningen en als gelegenheid om met zijn veelzijdigheid te kunnen pronken. Iedere schrijver is alle schrijvers, placht hij zijn studenten voor te houden en voerde dan Jorge Luis Borges op, die reeds in de jaren veertig van de vorige eeuw betoogde dat het aan Céline of Joyce toeschrijven van de *Imitatio Christi* zou helpen om de verflauwde spirituele idealen uit dat werk nieuw leven in te blazen, waarbij Edgardo er dan aan toevoegde dat deze *esempio* ondermijnend verrijkt werd door het feit dat Borges, een slordige geleerde, waarschijnlijk de veel invloedrijker *De Imitatione Christi* in zijn hoofd had gehad en dat hij in elk geval beide werken toegeschreven zou hebben aan de inmiddels in diskrediet gebrachte Jean de Gerson in plaats van aan Thomas à Kempis. Niettemin verschafte Borges' idee een effectief instrument voor verdere deconstructivistische analyse. Zou onze kijk op het werk van Samuel Beckett niet verdiept en verrijkt worden wanneer werd voorondersteld dat hij ook wekelijks een humoristische column geschreven had voor *The Irish Times*, onder het pseudoniem Myles na Gopaleen, en zijn stukje liet inleveren door en uitbetalen aan een alcoholische Dublinse schrijver die zich bediende van een reeks aliassen, variërend van Brian Ó Nualláin tot Flann O'Brien?

Ze waren dol op hem, dat sprak voor zich. Ugo had goed

ingezien dat vleien de weg effende naar de harten van de mensen. Hij vleide mensen tijdens zijn colleges en deed er nog een schepje bovenop in de reeks van eruditie getuigende romans, die van een nederige professor in de semiotiek aan een provinciale Italiaanse universiteit een der rijkste en beroemdste schrijvers ter wereld had gemaakt. Laat ze achterover slaan van bewondering voor het bereik van je kennis, geef ze daarnaast het gevoel dat ze intelligenter en ontwikkelder zijn dan ze zelf ooit gedacht hadden en ze zullen altijd blijven terugkomen voor meer. Bij zijn collega-academici koos hij geraffineerd voor een andere benadering. Hij appelleerde niet aan hun slimheid – daarover verkeerden deze lieden niet in onzekerheid – maar aan hun dikwijls nonexistente charme, menselijkheid en gevoel voor humor. Zelfs zij die zichzelf niet erg graag mochten, laat staan anderen, waren dol op Edgardo.

Zijn telefoon ging. Het was Guerrino Scheda, zijn advocaat.

'*Ciao Guerrino*. Goed nieuws, hoop ik.'

'Ik denk het wel. Het is wat ongebruikelijk en vooralsnog heb ik niets op papier, maar ik heb goede hoop dat ik het er wel door krijg. Indien ja, dan zou dat de perfecte oplossing zijn.'

'Kwel me niet. Wat is er gebeurd?'

'Goed, aanvankelijk liep ik aan tegen een Berlijnse Muur van intimidatie en dreigementen. Ik heb niet met Rinaldi zelf kunnen spreken, maar men gaf me te verstaan dat hij door het dolle heen is van woede en je ballen eraf wil procederen. Hij wil niet schikken. Daar heeft hij geen belang bij, beweert hij. Geld speelt geen rol. Het gaat om trots en eer et cetera. Met andere woorden, hij wil triomferen voor de rechtbank en is bereid ervoor te betalen, ongeacht wat het kost.'

Toen de eerste brief arriveerde van de juridisch adviseurs van Lo Chefs bedrijf, waarin ze dreigden hem te vervolgen wegens smaad op grond van het op 'grove wijze' aantasten van de eer en goede naam van Romano Rinaldi, was Edgardo's reactie er aanvankelijk een van ongeloof. Het was nooit zijn bedoeling geweest dat iemand zijn uit de losse pols gemaakte opmerking over Rinaldi's kookkunst letterlijk zou nemen. Ze vormde louter een illustratie van zijn centrale stelling in het artikel dat we tegenwoordig niet meer in een consumentistische maar in een postconsumentistische maatschappij leven. Nu in onze reële behoeften is voorzien consumeren we niet langer producten maar verwerken ze. Aldus is film – de fotografische registratie van echt bestaande personen, plaatsen en tijden – in toenemende mate weinig meer dan ruwe grondstof die door computergestuurde postproductieprocessen getransformeerd moet worden.

Ugo had Walter Pater geciteerd, die zei dat alle kunst de status van muziek nastreeft, en zelf voegde hij hieraan toe dat tegenwoordig alle kunst, muziek incluis, de status van videospelletjes nastreefde. En na een typisch modieuze toespeling op de platheid van de hedendaagse mediacultuur – zijn specialisme – bracht hij te berde dat niemand wist of Romano Rinaldi, de ster van het superpopulaire televisieprogramma *Lo Chef Che Canta e Incanta*, eigenlijk wel echt kon koken. En dat deed er ook niet toe, had hij zich gehaast eraan toe te voegen, net zomin als het ertoe had gedaan dat de president van de Verenigde Staten toen hij op Thanksgiving Day in Irak arriveerde, werd gefotografeerd terwijl hij in de manschappenkantine naar een tafel liep met wat naar wat later bleek een rauwe kalkoen was waarvan het vel met een brander bruin was geschroeid. Ugo wist niet zeker hoe serieus hij deze zaken zelf eigenlijk nam, maar natuurlijk was het luchtig opvatten van dingen van wezenlijk belang in de *cultura post-post-moderna*. Kennelijk zag Romano Rinaldi dit evenwel anders.

'En als je het er niet door krijgt?' vroeg hij aan de advocaat. 'Wat voor kans maken we dan?'

'Als het voor de rechter komt? Fifty-fifty, zou ik zeggen. Misschien ligt het iets gunstiger. Uiteindelijk heb je nooit beweerd dat Rinaldi een bedrieger zou zijn, alleen dat er geen feitelijk bewijs voor bestaat dat hij zelfs maar een ei kan koken. Dus we zouden kunnen winnen.'

'Ik voel dat er een "maar" aan zit te komen.'

'Correct. De twee aan dat scenario verbonden problemen zijn dat het een vermogen gaat kosten – het is hoogst onwaarschijnlijk dat we schadeloosstelling voor gemaakte kosten toegekend krijgen – en dat er ongeacht de uitkomst massa's nare publiciteit uit voortvloeien. Rinaldi is zonder meer een opgeblazen zak, en voor zover ik weet ook een bedrieger, maar feit blijft dat hij ook een nationale superster is en een idool. De mensen hebben hem in hun hart gesloten. Vooral vrouwen en je weet hoe die zijn als ze zich geprovoceerd voelen. Je wilt toch niet dat de hedendaagse *tricoteuses* zich met je gaan bemoeien. Lo Chef komt over als een aaibare, innemende boef met een prettige lichte tenorstem, die de dagelijkse sleur van het koken leuk en sexy doet lijken. Jij daarentegen bent een arrogante intellectueel die pretentieuze dikke boeken schrijft over onbegrijpelijke onderwerpen en die in zijn hart zijn medemens veracht, een oppervlakkig vernisje van trendy linkse solidariteit ten spijt.'

'Misschien moet ik jou een proces aandoen, Scheda.'

'Ik vertel je alleen hoe het eruitziet als we het op een rechtszaak laten aankomen. Misschien, misschíén valt het vonnis in ons voordeel uit, maar Rinaldi zal de pr-slag winnen en jij zult daar, tegen een aanzienlijke prijs, uit te voorschijn komen als een kleinzielige zeikerd.'

'Maar je zei dat hij erop stónd om het voor de rechter te brengen. Wat kan ik daaraan doen?'

'Verschijn over twee dagen in het beurs- en congrescentrum hier in Bologna.'

'Waar heb je het over?'

'Het verkeert nog in de onderhandelingsfase, maar ik heb het al in grote lijnen rond met zijn persoonlijk assistente, een buitengewoon intelligente vrouw, Delia Anselmi. Ze gaat helemaal akkoord en ze heeft kennelijk veel invloed op Rinaldi. Onder ons gezegd en gezwegen, ik denk dat we het in onze zak hebben. Maar eerst moet ik weten of jij akkoord gaat.'

'Met wat?'

'Deelname aan een kookwedstrijd met Rinaldi tijdens de Enogast-voedingsmiddelenbeurs die nu gaande is.'

Edgardo Ugo lachte.

'Volgens mij ben je gek. Of je denkt dat ik dat ben.'

'Integendeel, het is een perfecte overeenkomst, voor alle betrokkenen.'

'Maar hij gaat winnen!'

'Uiteraard wint hij. Dan zúl je verliezen bij een kookwedstrijd tegen de beroemdste kok van Italië. Als je Roger Federer uitdaagde tot een partijtje tennis, zou je ook verliezen. Hoe vernederend is dat helemaal? Er zijn genoeg levensterreinen waarop jij een erkend wereldkampioen bent. Het enige dat jij hoeft te doen is opdraven, Lo Chef op het podium de hand schudden, misschien een duet met hem zingen – kun je zingen? – en in het algemeen duidelijk maken dat de hele affaire niet meer dan een belachelijke vergissing was die de media buiten alle proporties hebben opgeblazen. Op zijn beurt zal hij een, door mij op te stellen, document ondertekenen waarin hij verklaart nu noch in de toekomst juridische stappen tegen jou te zullen ondernemen. Einde verhaal.'

Ugo zweeg.

'Plus,' voegde Scheda eraan toe, 'en nu komt het mooiste van de deal, het hele gebeuren wordt live uitgezonden en ik zal bedingen dat jij een paar minuten solo in beeld komt. Later op de dag en gedurende heel het weekeinde zal het veelvuldig herhaald worden. De geschatte kijkcijfers liggen rond de twintig miljoen.'

'Ik doe het.'

Ugo legde de telefoon neer. Al dit gepraat over eten deed hem beseffen dat hij was vergeten om te lunchen. Hij liep naar de gigantische keuken beneden en wierp een moedeloze blik in de koelkast. Daar lagen de resten van het diner waarvoor hij het afgelopen weekeinde een groep vrienden en collega's had uitgenodigd. Alle gerechten waren gezamenlijk klaargemaakt aan de hand van Marinetti's traktaat over futuristisch koken. De overvloedige hoeveelheid kliekjes duidde erop dat het bereiden meer voldoening had geschonken dan het voedsel zelf, maar het oogde allemaal reuzefraai en het was prachtig gefotografeerd voor een artikel over het gebeuren in *La Cucina Italiana* – prima publiciteit voor alle erbij betrokkenen.

Hij koos enkele stukken in letters gesneden mortadella en kaas, die deel hadden uitgemaakt van het gerecht 'eetbare woorden', waarvan alle gasten hun eigen naam moesten eten, en daarna liep hij naar het voormalige huishoudsterskantoortje. In dit kamertje betaalde hij zijn rekeningen, bewaarde hij zijn persoonlijke administratie en las hij zijn e-mail. Van dit laatste waren er vandaag erg weinig, maar achtentwintig nieuwe berichten. Hij nam de titels vluchtig door, opende er een paar en wiste andere ongelezen. Een bod uit Litouwen op de rechten van twee van zijn boeken, een verzoek van de BBC om mee te werken aan een documentaire over de culturele betekenis van profsport, een uitnodiging om een reeks duffe maar goedbetaalde colleges in Japan te komen geven, plus een verzameling gebruikelijke academische roddelpraat gestuurd dan wel doorgestuurd door zijn vrienden en bewonderaars van over de hele wereld.

Hij klikte het laatste nog niet ingeziene mailtje open. De onderwerpregel was leeg en de van-regel bevatte alleen een hotmailadres dat uit een reeks schijnbaar willekeurige getallen bestond. En het bericht zelf bevatte geen tekst, alleen een lijntekening – meer een ets, eigenlijk – van een mannenhand, waarvan duim en wijsvinger bijna een gesloten cirkel vormden.

Ugo staarde er even naar en liep toen naar zijn bibliotheek in de voormalige woon- en ontvangstkamers van de villa, welke hij had doorgebroken om één grote, rustige ruimte te creëren. Hier opende hij een la in een mooi, rozenhouten kabinet en raadpleegde de daarin opgeborgen, beduimelde, met de hand geschreven indexkaarten. Al snel had hij de plaats van het boek dat hij zocht gevonden. Na de ladder op wieltjes versleept te hebben, waarmee hij de hoogste van de acht rijen planken kon bereiken, bladerde hij in Andrea de Jorio's standaardwerk uit 1832 over Zuid-Italiaanse gebaren en hun oorsprong in de klassieke oudheid.

Ja, daar had je hem: *'Disprezzo'*, minachting. Hoewel de kiese Napolitaanse geestelijke hier slechts op zinspeelde, was de grondbetekenis van het teken natuurlijk overduidelijk seksueel. Een erger non-verbale belediging had er niet bestaan en Jorio had het de 'superlatieve vorm' van andere agressieve gebaren genoemd.

In wezen zei iemand hem dat hij moest opsodemieteren.

Flavia stond blootsvoets en met haar regenjas aan bij wijze van peignoir met smaak een sigaret te roken en in een pan met saus te roeren, toen er een aantal keer hard op haar deur werd geklopt. Toen ze erheen liep en door de vissenooglens tuurde zag ze niet meer dan een hoed, een donkere bril en een zware overjas.

'Wie is daar?'

'Politie.'

Na nog een blik door het kijkgaatje schoof ze de grendel van de deur en deed open. De man wapperde met een plastic kaart uit zijn portefeuille. Flavia kon alleen het woord 'Speranza' ontcijferen maar verder niets.

'Mag ik binnenkomen?' vroeg hij.

Hij zag er eerder uit als iemand van de geheime dienst dan als een gewone politieman, dacht Flavia, hoewel dergelijke mannen hun legitimatie niet lieten zien noch toestemming vroegen om te mogen binnenkomen. Er bestond echter maar één reden waarom de politie geïnteresseerd zou zijn in haar en de andere meisjes die in deze paar kamers woonden: en wel het bewerkstelligen van hun onmiddellijke deportatie als gevolg van de nieuwe immigratiewetgeving, die erdoor was gejaagd om het xenofobische electoraat van diverse politici tevreden te stellen, wier steun essentieel was voor het overleven van de regerende coalitie.

De indringer stond midden in de kamer om zich heen te kijken naar de matrassen op de vloer, de als kastjes dienstdoende fruitkisten, de pan pastasaus op de kookplaat, het stuk blauw nylontouw dat tussen twee kromgeslagen spijkers was gespannen en als gemeenschappelijke hangkast diende. Nog nat en koud van haar bad onder de primitieve douche in een hoek van de kamer, trok Flavia de regenjas, in een omkering van zijn gebruikelijke functie, strak om haar lichaam.

'Aardig stekje,' merkte de man op.

Op een dergelijke aperte provocatie hoefde men niet te reageren.

'Deel je het met anderen?'

Flavia schudde haar hoofd. Er bestond een kleine kans dat ze de andere meisjes kon redden, als ze hen zou kunnen waarschuwen voordat ze thuiskwamen. Moesten ze je hier in Europa niet één telefoongesprek toestaan? De man staarde naar hun schamele bezittingen die overal in het volle zicht lagen. Toch was er nog een kansje, aangezien al deze spullen tezamen nog geen kwart vertegenwoordigden van wat de gemiddelde Italiaanse vrouw als een elementair minimum beschouwde.

De politieman haalde een studioportret uit de binnenzak van zijn dubbelrijs jas en liet het aan Flavia zien.

'Je kent deze persoon,' zei hij.

Ze herkende Rodolfo's huisgenoot onmiddellijk, al had ze hem nog nooit een colbert en een stropdas zien dragen, maar toch schudde ze ook nu haar hoofd.

De indringer stopte de foto weer terug en haalde een heupflacon van glanzend metaal te voorschijn, waaruit hij een grote, klokkende slok nam.

'Natuurlijk ken je hem,' zei hij en veegde zijn lippen af. 'Vincenzo is zijn naam. Vincenzo Amadori.'

Hij verwisselde de flacon voor een pakje sigaretten uit weer een andere zak van zijn ruime jas.

'Bezwaar als ik rook?'

Weer schudde ze haar hoofd.

'Wil je er een?'

Haar instinct zei haar het aanbod af te slaan – vertel niets, neem niets aan – maar een veel ouder bijgeloof zei haar dat drie ontkenningen ongeluk brachten. Op het pakje stond Camel en de sigaret die de man voor haar aanstak had een lekkere, geroosterde smaak. Amerikaanse import, dacht ze, onlogisch. Absoluut geheime politie. Ze besloot hem Dragos te noemen.

'Natuurlijk ken je hem,' hield de indringer vol. 'Via Marsala nummer vierenzeventig, twee hoog achter.'Flavia zag in dat verder ontkennen geen zin had. Het kon niet anders of ze was gevolgd.

'Ik heb zie hem daar, ik denk,' verklaarde ze met een zwaar accent.

'Hé, het kan ook praten,' zei Dragos met een speelse grijns. 'Vertel me dat je een sterke martini mixt, schat, en ik ben je man. Het enige dat je hoeft te doen is gaan zitten en je benen over elkaar slaan.'

Hij keek hoopvol om zich heen, maar stoelen behoorden tot de vele stukken huisraad die de kamer ontbeerde.

'Zoek je hem daar op?' ging Dragos verder. 'Of kom je voor die andere knul?'

'De andere.'

Een heftig knikken.

'Verstandige meid. Strikt genomen, en dat blijft tussen jou en mij en wie er ook meeluistert achter deze bordkartonnen muren, prins Vince is een kwaaie.'

'Die weet ik al. Maar hij is niet prins, ik denk.'

De aandacht van de geheim agent was kennelijk weer afgedwaald, dit keer naar de elektrische kookplaat, het enige kookattribuut van de gezamenlijke huishouding. Hij liep ernaartoe en snoof waarderend de geur van de pruttelende saus op.

'Heb je ooit vrienden van hem ontmoet?' informeerde hij gemaakt onverschillig.

'Van die Vincenzo?'

'Helemaal.'

Dragos zoog aan zijn sigaret.

'Hij is in slecht gezelschap terechtgekomen, snap je. Zijn ouders zijn erg bezorgd.'

'Mijn vriend, hij is niet slecht gezelschap.'

'Mattioli? Nee, die deugt, voor een student. Maar die

ploeg waarmee Amadori omgaat bij voetbalwedstrijden, dat is andere koek.'

'Die zie ik nooit.'

'Nooit, hè?'

Dragos pakte een lepel, doopte die in de pastasaus en slobberde er wat van naar binnen, terwijl hij zich naar Flavia omdraaide met een neerbuigend lachje, dat abrupt van zijn gezicht verdween. Hij liet de lepel vallen, greep naar zijn keel, sloeg dubbel en begon incoherent te brullen.

Flavia rende naar het fonteintje en vulde het tandenborstelglas met water, maar het slachtoffer had al een bekerglas met een kleurloze vloeistof van een plank gegrepen en in één teug achterover geslagen. Dit resulteerde in een reeks doordringende, schrille kreten die openingen bliezen in de paleisvleugel die de prinses jaren tevoren had bevolen te verlaten en te verzegelen.

'Merda di merda di merda di merda di merda di merda di...'

Pas na toediening van een langdurige kuur van met citroensap verdunde yoghurt kreeg Flavia haar bezoek in voldoende goede conditie om het te kunnen laten vertrekken, en meer begeerde hij tegen die tijd ook niet. Voordat ze naar haar werk moest, had ze helaas door de onderbreking geen tijd meer voor de late lunch, waarop ze zich zo verheugd had. Ze was hier vooral ontstemd over omdat de saus – de dingen die de man van de geheime dienst erover had gezegd en die te grof waren om te publiceren ten spijt – haar lievelingssaus was, die ze alleen die zeldzame keren kon maken wanneer ze beschikte over het ervoor benodigde ingrediënt.

Er waren maar weinig dingen die Flavia uit haar geboorteland miste, maar de kruiderij die de basis vormde van die saus was er een van. Ze bestond uit gesneden rode en gele langwerpige pepers, onstuimig heet en verfijnd zoet, in olie met knoflook, citroenschil en mysterieuze specerijen. De verrukkelijk intense smaak doordrong je hele systeem nog uren nadien, verwarmde en versterkte je naar lichaam en geest. De saus was de perfecte oppepper tijdens de gemene koudegolf die nu al wekenlang aanhield, en Flavia was in de zevende hemel toen er zes grote, kostelijke potten te voorschijn kwamen uit het pakket dat ze de dag ervoor had ontvangen van de vrouw die haar dierbaarste vriendin was geweest tijdens hun lange kinderjaren in het Huis van Geluk.

Maar het zou minstens twintig minuten kosten om voldoende water voor de pasta aan de kook te krijgen op de zwakke elektrische spiraal en over een halfuur moest ze al op haar werk zijn. De leidinggevende loopjongen waar zij mee te maken had, was een stierlijk vervelende kleine tiran die al overduidelijk had laten merken dat hij vrouwen als Flavia beschouwde als inwisselbare tijdelijke arbeidskrachten en dat ze bij de minste schending van haar mondelinge arbeidsovereenkomst meteen op straat stond. Dus verslond ze zo veel mogelijk van de verrukkelijke saus door er hompen brood van de vorige dag in te dopen, die ze tevreden smakkend opat. Ze kreeg het echt niet onder haar pet waarom de politieman nou zo'n heisa had gemaakt over die ene hap, hoewel het restantje in het glas eigengemaakte pruimenbrandewijn die Victoria eveneens gestuurd had waarschijnlijk niet het ideale tegengif was.

Evengoed had ze het gevoel dat ze toch een punt had gescoord. Tegen de tijd dat Dragos eindelijk vertrok was hij erg handelbaar, zelfs bijna huilerig dankbaar voor haar hulp en hij had erop gestaan zijn telefoonnummer bij haar achter te laten met een verhaal over dat ze 'rijkelijk beloond' zou worden voor enigerlei informatie die ze over Vincenzo Amadori verstrekte. Flavia prakkiseerde er niet over om de politie vrijwillig iets over wie dan ook te vertellen, laat staan over iemand met wie Rodolfo, zij het zijdelings, omging. Toch voelde ze stellig dat ze de confrontatie van vanmiddag gewonnen had en ze arriveerde in de ijskoude schemering bij de bushalte met een ontspannen, opgewekte glimlach op haar lippen.

Over het privéleven van Romano Rinaldi werd druk gespeculeerd, vooral omdat er vrijwel niets over bekend was. En trouwens, hijzelf beschikte amper over duidelijkheid omtrent zijn feitelijke herkomst en – zoals hij aan zijn publiciteitsagent uitlegde, toen Lo Chefs groeiende bekendheid het noodzakelijk maakte er een in dienst te nemen – wat hij erover wist, of vermoedde, was veel te choquerend om de basis te kunnen zijn voor het type publieke persona dat hij wilde creëren.

De publiciteitsagent had naar een verward verhaal geluisterd over een informele, ambulante jeugd onder toezicht van een aantal 'tantes', die oorspronkelijk allemaal bij het vrouwelijk gevolg hoorden van een zeker Italiaans popidool uit de jaren zestig, wiens ster inmiddels was verbleekt maar die nog steeds leefde en erom bekendstond extreem snel tot procederen geneigd te zijn. Een voor een waren deze hoedsters van het toneel verdwenen, tot de laatst overgeblevene Romano, inmiddels puber, met zich meenam toen ze zich aansloot bij een religieuze sekte die haar basis had in een verlaten complex primitieve onderkomens ergens in de rimboe ten oosten van Potenza.

Daar aangekomen in het verhaal, stak de publiciteitsagent – een gladjes-joviale man met het voorkomen van een gepensioneerde circusdirecteur – zijn hand op.

'Heeft iemand uit die periode ooit geprobeerd contact met je te zoeken?' vroeg hij.

'Nee.'

'Zijn er nog familieleden in leven?'

'Niet dat ik weet.'

'Als er iemand opduikt en beweert familie van je te zijn, kunnen we dat dan met een gerust hart ontkennen?'

'Waarom niet? Ik kan zelf niet eens iets bewijzen.'

De publiciteitsagent straalde en slaakte een diepe, langgerekte zucht.

'Mijn leven lang heb ik op iemand als jij gewacht,' zei hij.

Prompt werd er een alternatieve versie verzonnen van de jonge jaren van de ster, die werden bepaald door een arme doch gelukkige jeugd in een Romeinse arbeidersbuurt en een klassieke zout-der-aardemoeder die haar talrijke kroost met ijzeren vuist regeerde maar ze door de moeilijke tijden – en het behoeft geen betoog dat dit er vele waren – heen sleepte én hun bovenal de verrukkelijke, voedzame, traditionele maaltijden voorzette die bij de jonge Romano al vroeg de belangstelling voor koken hadden gewekt. Gedurende korte tijd was er een werkloze actrice ingehuurd om dit geduchte personage te spelen, maar toen deze ermee dreigde haar verhaal te zullen verkopen aan een roddelblad, hadden ze haar afgekocht en uit de plot geschreven. Nadien werd de surrogaatfamilie zorgvuldig uit de schijnwerpers gehouden, zogenaamd om de heiligheid van Lo Chefs privéleven te bewaren, die hem nog dierbaarder werd na de tragische beroerte van zijn moeder.

Romano's feitelijke achtergrond echter, had zijn sporen in hem nagelaten. Dit kwam niet het minst tot uitdrukking in zijn overtuiging dat lange-termijnzekerheid van korte-termijngenot het enige was dat de moeite van het nastreven waard was en dat elke poging om het leven te analyseren of te begrijpen volstrekt zonde van de tijd was. Vandaar dat de impliciete ironie hem ontging van het feit dat hij ervoor koos, toen het geld eenmaal met bakken tegelijk binnenkwam en hij het investeerde in de bouw van nieuwe appartementencomplexen, om precies zo te wonen als waar hij was opgegroeid: illegaal in een gat in de grond. Eigenaren van onroerend goed zoals het zijne hadden geheid een niet als zulks op papier staande *abusivo*-woonruimte op het dak gebouwd, die omwille van de te betalen onroerendgoedbelasting geregistreerd stond als bergruimte. Romano had iets dergelijks gedaan, alleen diep onder de grond. En het was in deze bunker dat hij plannen smeedde voor de inleidende blitzkrieg van zijn totale oorlog tegen professor Edgardo Ugo.

Eerlijk gezegd was hij nog steeds laaiend op Delia, hoewel een paar snuffen van het goede spul zijn woede hadden doen verflauwen, vergeleken met de krijsbui waarop hij haar had vergast toen ze na de opnamesessie vanochtend met het idee op de proppen was gekomen. Maar wat hij van haar idee vond, dát was geen jota veranderd, en hoe eerder ze dit begreep des te beter. Hij had er geen enkel belang bij om Ugo's lasterlijke provocatie in der minne te schikken. Wat hij wilde waren de kloten van die klootzak op een dienblad, en het was Delia's taak, als meer dan goed betaald boodschappenmeisje, om schattig met haar voorgevel onder zijn neus te schudden en liefjes te informeren of hij er frietjes bij wilde, en niet om hem te vertellen dat hij iets anders had moeten bestellen.

De computer maakte een zacht, gongachtig geluid om het binnenkomen van e-mail te melden. Omdat Rinaldi's humeur hierop acuut weer begon te betrekken, snoof hij snel nog een lijntje. Koken mocht dan een probleem voor hem zijn, coken kon hij fenomenaal. Hij stak de uitgestrekte oppervlakte over van de minimalistisch gemeubileerde, betonnen caisson die tussen de fundering van het appartementencomplex was gebouwd en wierp een woedende blik op het beeldscherm.

Ik neem geen genoegen met een onvoorwaardelijke weigering van je, Romano, daarvoor staat er gewoonweg te veel op het spel. Dit was potentieel een grote crisis. Ik heb haar omgezet in een al even grote kans voor jou. Dat je je gekrenkt voelde is gerechtvaardigd en ik begrijp dat helemaal, maar dit doet geen afbreuk aan het feit dat je gek zou zijn om deze kans niet te grijpen. Je zou er niet alleen je naam mee zuiveren, maar er ook positieve publiciteit mee oogsten voor het programma, de producten en de merknaam Lo Chef. En dat je het maar weet: het hele team staat op hetzelfde standpunt.

Rinaldi ging achter het toetsenbord zitten en tikte zijn vlammende antwoord in.

Ik doe geen live!

Het kleine loeder handelde het kennelijk in real time af – haar eigen baantje stond natuurlijk op het spel, hoewel ze daarvan tot dusver met geen woord had gerept – want ze reageerde meteen.

De jury is op jouw hand. Dat heb ik je, toen we elkaar spraken, allemaal uitgelegd. Ik heb al vijf juryleden gerekruteerd en de rest ben ik aan het bewerken. Ook krijg je van tevoren de lijst met ingrediënten te horen – feitelijk kunnen we die min of meer dicteren – en zal Righi je zoals altijd intensief coachen. Tegen de tijd dat het programma wordt opgenomen zal zelfs jij een acceptabel pastagerecht in elkaar kunnen draaien binnen de tijdslimiet. Je hebt alles te winnen en niets te verliezen. Denk er in godsnaam eens over na.

Deze e-mail liet hij door de coke beantwoorden.

Er valt niets na te denken. Waar ik ben opgegroeid, op straat, tussen mensen die niets anders dan hun trots bezaten, hadden we een gezegde. 'Verlies je je geld, ben je niets kwijt. Verlies je je gezondheid, ben je veel kwijt. Verlies je je reputatie, dan ben je alles kwijt.' Deze arrogante kwast heeft mijn reputatie in twijfel getrokken. Daar zal hij voor boeten.

Romano klikte dit weg en prutste met de computer tot hij het stressverminderende geluidsbestand 'zuivere witte ruis' geopend had. Nauwelijks vulde het constante geruis de ruimte of daar ging de gong van de computer weer. Rinaldi kwam in de verleiding om het te negeren, maar hij wist dat de kwestie opgelost moest worden, en liever per e-mail dan in direct contact.

Prima, je doet maar. Ter jouwer informatie: onze juridisch adviseur zegt dat onze kans om een rechtszaak te winnen hoogstens fifty-fifty is.
Formeel gesproken heeft Ugo je niet in je goede naam aangetast. Zijn opmerkingen vormden gewoon een 'hypothetisch voorbeeld ter illustratie', bedoeld om een van zijn dit-is-hoe-we-tegenwoordig-leven-stukjes op te leuken. Maar als jij hem voor het gerecht daagt, huurt hij de allerbeste advocaten in het land in plus hoogstwaarschijnlijk een stel journalisten die om den brode in schandalen wroeten om te kijken of zij niet iets over jou kunnen opgraven. Ontevreden voormalige werknemers enzovoort. Weet je nog de kleine Placida, die uiteindelijk niet kwam? Het zou heel onsmakelijk kunnen worden. Op zijn hoogst behalen we een 'morele overwinning' die niemand een zier kan schelen maar die een fortuin in honoraria zal kosten en het publiek met de vraag zal laten blijven zitten of je nu echt kunt koken of niet. Maar zodra je je kunde en superioriteit hebt laten zien, live op tv vanuit het beurs- en congrescentrum in Bologna – en vergeet niet dat we hebben geregeld dat de wedstrijd in jouw voordeel uitpakt, ongeacht wat er in de keuken gebeurt – dan kan je toekomst niet meer stuk, niet alleen hier in Italië maar wereldwijd. Professor Ugo mag dan een arrogante kwast zijn, hij is ook internationaal een grote beroemdheid. Op honderden, misschien wel duizenden buitenlandse zenders zullen flitsen van het evenement getoond worden. Je kent ze toch wel, die geruststellende verhaaltjes die ze aan het eind van het journaal plakken na de politiek, oorlogen en gruweldaden? 'En nu iets luchtigers...' In dat nieuwsitem ga jij schitteren, Romano. Ik garandeer je dat als je de gelegenheid die ik nu georganiseerd hebt te baat neemt, tegen het eind van dit jaar *Lo Chef Che Canta e Incanta* wereldwijd wordt uitgezonden en alle producten met die merknaam ook internationaal worden verkocht. We hebben het hier over miljoenen, potentieel. En dan nog iets, voor wat het waard mag wezen. Als jij, ondanks bovenstaande, je poot blijft stijfhouden en met alle geweld wilt procederen, beschouw mij dan als ontslagen.

Rinaldi, die voelde dat zijn vastberadenheid tanende was, liep naar de bescheiden kitchenette, waar hij wel eens een kop instantsoep opwarmde of een ontdooide snee brood liet verbranden onder de grill, en draaide een fles coke open. Hij had een levendige herinnering aan de tijd voor zijn huidige succes, toen hij een karig bestaan bij elkaar scharrelde met het zingen van allerlei rijmelarijen van advertenties bestemd voor uitzending op lokale radiostations. Oorspronkelijk kwam de opnameleider van een van die dingen met het idee voor het Lo Chef-programma en oorspronkelijk was het bedoeld als weinig meer dan een grap. Maar deze regisseur had contacten bij diverse televisieproductiemaatschappijen en na het plegen van enige verfraaiingen aan het idee, zoals de zang, toonde een zo'n maatschappij zich bereid om een proefaflevering te maken tegen gereduceerd tarief, dat gerestitueerd zou worden indien ze een omroep vond die deze pilot wilde uitzenden.

Er was een omroep gevonden en de kijkcijfers waren dermate geweest dat het productiebedrijf was benaderd met het verzoek om een miniserie van zes afleveringen te maken. De kijkcijfers gingen per aflevering met sprongen omhoog – allemaal mond-tot-mondreclame – en Rinaldi kreeg een contract om een serie voor de rest van het jaar te maken. Toen dat afliep was hij in de positie om over een veel lucratiever contract te onderhandelen met 's lands meest bekeken zender, plus dat zijn programma werd uitgezonden op een tijdstip met de grootste kijkdichtheid, pal na het megapopulaire reality-programma *Oliedomme rijke sloeries*. Aanvankelijk leidde de betrokken vriend de productiemaatschappij, maar de vlucht die het product nam ging zijn beperkte talenten al snel te boven en Rinaldi moest, zij het met tegenzin, van zijn verdere diensten afzien.

Zoals alle geniale ideeën, was ook dit in wezen erg simpel. De Italiaanse keuken hield op te bestaan. Niet in de sfeer van restaurants, maar thuis. Mannen hadden er nooit over gepiekerd om te leren koken en tegenwoordig waren de meeste vrouwen te moe en te druk met andere dingen bezig om het nog te doen. En ze zouden trouwens niet geweten hebben hoe. De traditie dat recepten en technieken gedurende talloze eeuwen mondeling van moeder op dochter waren overgedragen was vrijwel uitgestorven, evenals de uitgebreide familiekring en de echtgenotes die thuisbleven.

Vandaar de aantrekkingskracht van Lo Chef. Zijn warme, onbedreigende, overdreven flirterige televisiepersoonlijkheid raakte een gevoelige snaar in het culinair gehandicapte onderbewuste van zijn kijkers. Zijn optreden suste hun vrezen en gevoelens van incompetentie, terwijl het tegelijk hun dromen en aspiraties legitimeerde. De populariteit van zijn programma was niet het gevolg van het idee dat hij er de jonge generatie de elementaire beginselen mee zou bijbrengen van hoe je eten op tafel zette, hoewel de scriptschrijvers er voortdurend aan herinnerd werden dat zich onder hun doelpubliek mensen bevonden die dachten dat melk vers uit de koe kwam op een temperatuur van vijf graden Celsius en zelfs mensen die nooit beseft hadden dat er enig verband bestond tussen koeien en melk. Maar Lo Chefs kijkers wilden ook geen voorlichting, ze wilden glamour, wat 'authentieke' tips van de top en bovenal een beetje plezier.

En hiervoor werd de zang gebruikt. Delen van het recept, instructies, ingrediënten, bereidingswijze, dit alles rolde eruit met Rinaldi's lichte tenor – nog een verband met zijn jeugd en misschien zelfs zijn afkomst – die buitengewoon geschikt was voor de melodieën van beroemde opera's en populaire liedjes. Iedereen ontspande en glimlachte als de mollige, beminnelijke tv-persoonlijkheid alweer een verrukkelijk, authentiek gerecht in elkaar draaide 'uit onze weergaloze en tijdloze gastronomische traditie', bijgestaan door twee schaars geklede, onnozel grijnzende *bimbettes* met een goedgevulde voorgevel, die het mannelijke publiek aan boord kregen en tegelijk de gemiddelde huisvrouw de voldoening boden om smalende opmerkingen te maken over hun totale onbenulligheid, waar de ster hen altijd met ten hemel geslagen blik goedig over berispte.

Het was een dijk van een formule gebleken en hij had haar gekoesterd en er zijn voordeel mee gedaan. Tegenwoordig was hij minder geïnteresseerd in wat het televisieprogramma opbracht dan in het onder de publieke aandacht brengen van de almaar uitdijende hoeveelheid producten die op de markt werden gebracht onder de merknaam *Lo Chef Che Canta e Incanta*. Dit was het lucratiefste aspect van de hele onderneming aangezien het van Rinaldi geen noemenswaardige inspanning vergde. Zelfs in het begin had hij niet meer hoeven doen dan het vinden van een redelijk goed product met een bodemprijs voor de groothandel om daarna een bod te doen op de exclusieve verkooprechten. Nu zochten de fabrikanten natuurlijk contact met hem. Hij werd overspoeld met aanbiedingen. Daarna was het gewoon een kwestie van een reclameknakker inhuren om een lyrische aanbevelingstekst te schrijven voor op het etiket – onder een vrolijk plaatje van de ster met zijn witte jas en koksmuts, die met open mond en uitgestrekte hand een hoge C probeert te halen – en het product naar de supermarkten transporteren.

Hij was begonnen met de Coöp-keten, die de meeste grote voedselverkooppunten in midden-Italië in handen had, om daarna uit te breiden naar Conad en de andere nationale ketens. Hij wist precies hoe vrouwen zich voelden als ze pad in pad uit sjokten in die stinkende, drukke zelfbedieningszaken. Ze snakten naar het persoonlijke contact en de voorkeursbehandeling die hun ten deel viel in de kleine, ouderwetse winkels, maar het was te lastig om die allemaal af te moeten na een vermoeiende werkdag. De supermarkten waren snel, handig en goedkoop, maar de sfeer was er kil en onpersoonlijk. Dus wanneer signora Tizia Romano's vrolijke, vriendelijke gezicht ontwaarde op het kenmerkende etiket in rood en geel, dan pakte ze het product alsof hij haar arm had vastgehouden. Dure advertentiecampagnes waarvan je niet wist of ze wat zouden uithalen, waren ook niet nodig. De planken in de studio waar hij zijn programma opnam stonden volgestapeld met diezelfde producten, allemaal met het etiket met het Lo Chef-logo erop naar voren. Dit logo werd eveneens geprojecteerd op de valse achterwand van de set. En telkens wanneer er een nieuw product aan de reeks werd toegevoegd prees Rinaldi het de hemel in met een lange, op de lyrische reclameriedel gebaseerde aria.

Hij nam weer een slok coke voordat hij terugliep naar de tafel met het glazen blad. Hij wist dat hij het overdreef, maar hij stond dan ook voor een moeilijke beslissing. Er verstreek nogal wat tijd voordat hij besefte dat hij die al genomen had en daarop pakte hij de telefoon.

'Goed, ik zal het doen.'

Aan de andere kant van de lijn werd hoorbaar ingeademd.

'Dat is fantastisch, Romano! Je hebt absoluut de juiste beslissing genomen. Maar de tijd dringt. Je moet vanavond naar Bologna komen, oké? En daarmee bedoel ik nu meteen. Ik zal een auto regelen en een hotel bespreken en je de details zo snel mogelijk mailen. En nogmaals, gefeliciteerd!'

Bij het vernemen van Zens ophanden zijnde vertrek uit Lucca had Gemma hem een steek onder water gegeven over hun collusie in de dood van Roberto Lessi en het zich vervolgens op zee van diens lijk ontdoen. Naar zijn idee was dit niet zo goochem van haar geweest – Gemma zwaaide hiermee met een wapen dat veel te gevaarlijk destructief was. Ze had hem er beter aan kunnen herinneren dat bij de gelegenheid waarnaar ze verwees, toen de waarheid over zijn identiteit ten slotte aan het licht kwam, hij haar beloofd had dat hij nooit meer tegen haar zou liegen; wát er ook gebeurde.

Ook al was dit op zich een schaamteloze leugen van niet geringe omvang, het was zonder commentaar aanvaard, misschien wel omdat Zen het indertijd zelf geloofde. En de sfeer binnen de relatie, tot voor kort schijnbaar zo boordevol belofte, leek leugens tot een irrelevant anachronisme te maken. Gek genoeg had hij werkelijk geloofd dat zijn relatie met Gemma en het vervolgens opgeven van zijn appartement in Rome om in Lucca bij haar in te trekken op magische wijze een ander mens van hem had gemaakt. De gebeurtenissen van de laatste maanden echter hadden hem zijn oordeel doen herzien: zijn geloof bleek niet meer dan de zoveelste winding in de spiraal van illusies waarop zijn leven was gaan lijken.

Net als met de geleidelijke fysieke aftakeling viel moeilijk te duiden wanneer precies het allemaal was begonnen, maar de ruzies deden zich vaker voor, en daarmee de leugens. Een triviaal voorbeeld hiervan was toen Gemma vroeg waarom Zen naar Bologna ging, in de veronderstelling dat hij dit uit vrije wil deed. 'Jaren geleden was ik in Bologna gestationeerd en ik vond het er erg prettig,' had hij geantwoord. Het klopte dat hij popelde om te vertrekken, maar niet omdat hij zich erop verheugde naar Bologna terug te gaan; iedere andere bestemming was hem ook goed uitgekomen. Tijdens de treinreis naar het noorden probeerde hij zich de vorige periode voor de geest te halen dat hij was overgeplaatst naar de stad, ergens in de jaren zeventig, het terroristische *anni di piombo*, toen het 'rode' Bologna een broeinest van onrust was geweest. Maar dat gedeelte van het politiewerk kwam voor rekening van de DIGOS en andere gespecialiseerde antiterrorisme-eenheden, terwijl Zen, nog zeer laag in rang en toegevoegd aan de recherche, de routinezaken moest aanpakken; de gebruikelijke misdaden, gepleegd door mensen wier belangstelling niet uitging naar het omverwerpen van de staat maar naar het vullen van hun zakken of het oplossen van een persoonlijk geschil.

Hij herinnerde zich slechts geïsoleerde voorvallen, zoals de keer dat hij een onbeduidend gangstertje was gevolgd naar een ruige bar in een buitenwijk, waar zijn doelwit bedreigd werd door een rivaal. Als reactie trok Zens man een stiletto te voorschijn en stootte hem bijna tot aan het heft in zijn eigen been, zonder ook maar een spier te vertrekken. 'Dit is waartoe ik in staat ben met mezelf, Giorgio,' zei hij tegen de andere boef. 'Kun je nagaan waartoe ik met jou in staat ben.' De agressor viel nog net niet flauw en maakte zich met extreme haast uit de voeten, waarna de gangster het mes lostrok, het weer in zijn zak stak, zijn broekspijp oprolde en vervolgens, tot algehele vrolijkheid van de barbezoekers, zijn beenprothese afdeed.

Of de keer dat hij een vrouw ging ondervragen die beweerde dat haar ex-man haar achtervolgde en lastig viel. Aan de telefoon had ze nogal nerveus geklonken en toen Zen haar, eenmaal in haar appartement, enkele tamelijk gedetailleerde en intieme vragen stelde, had ze hem eerst met haar knokkels in zijn gezicht geslagen en hem tot slot gesmeekt om met haar naar bed te gaan. Uiteindelijk stemde hij hierin toe en het resultaat was zo bevredigend dat hij haar de volgende ochtend voorstelde om de beleving te herhalen. Hierop had de dame hem ijzig geantwoord: 'Jij was dinsdag. Dit is woensdag.'

En dan was er nog de keer dat hij een beruchte drugsdealer en vermoedelijke moordenaar achternazat door de kronkelige, overwelfde straten in het centrum, om de man uiteindelijk voor zijn ogen in het niets te zien oplossen. Toen Zen ten slotte de open deur vond waardoor hij een draai moest hebben gemaakt, stond hij voor een zwartglanzende poel enkele meters onder hem; een van de 'verloren' Bolognese kanalen, inmiddels begraven onder gebouwen en parkeerterreinen. Rimpelingen op het wateroppervlak toonden de ontsnappingsroute die de voortvluchtige had gekozen, maar zelfs op die betrekkelijk jonge leeftijd had Zen geen aandrift gevoeld hem te volgen.

Maar dit waren louter anekdotes en deze voorvallen hadden zich overal kunnen afspelen. Wat ontbrak was een totaalbeeld van de stad als een entiteit op zich, uniek en niet te verwarren met enig andere stad. Wat hem vandaag het meest trof, tijdens de korte taxirit van het station naar het centrum, was het scherpe contrast met Florence, zo dichtbij en toch een wereld ver weg. Bologna was het noorden al, het land van harde werkers, stevige eters, zware drinkers en klamme, sombere, deprimerende winters, die niet werden verzacht door een zweem van voorjaarsbelofte die streken bezuiden de Apennijnen altijd in zich borgen. Daarnaast, en in tegenstelling met Zens andere standplaatsen, was de sterkste indruk die de stad bij hem had achtergelaten de doelmatigheid van haar gemeentelijk apparaat, dat het allerhoogste cijfer scoorde volgens zijn nattevingercriterium voor zulke zaken. Bijvoorbeeld, hoe vaak worden de afvalbakken op straat geledigd: (a) iedere dag, (b) iedere week, (c) soms, (d) nooit. Dat en het eten, waarvoor Zen ging zitten om het te proeven zodra hij zich had geïnstalleerd in het hotel dat hem door zijn taxichauffeur was aanbevolen als zijnde gerieflijk dicht bij de questura. Ook had hij een restaurant aanbevolen, waar Zen een voortreffelijke *culatello* als voorgerecht verorberde – deze bijna niet te krijgen delicatesse, die een collega eens omschreef als 'parmaham voor volwassenen' – gevolgd door verrukkelijk dunne, met veel eieren bereide lagen lasagna met de beroemde Bolognese *ragú* en tot slot in witte wijn en balsamicoazijn gekookte konijn; een machtig feestmaal, in eetbaarheid verhoogd door een aangenaam rauwe rode wijn die nog sprankelde van zijn recente fermentatie.

Vanuit louter voedingsoogpunt bekeken bevatte deze maaltijd meer calorieën dan zijn gemiddelde dagelijkse consumptie, en desondanks kostte het hem heel wat moeite om de ober ervan te overtuigen dat een romige crème brulée geen geschikt slotstuk zou zijn. In plaats daarvan dronk hij een dubbele *caffè ristretto* in een bar vlakbij en daarna brak hij op om het welkom tegemoet te treden dat hem op de questura wachtte, hoe dat ook mocht uitpakken. Dit gebouw was een voorbeeld van fascistische bombast en triomfalisme in zijn meest dreigend opgeblazen vorm; een enorme tempel, opgedragen aan de macht van de staat en buiten alle verhoudingen tot de bescheiden piazetta waarop hij stond. Misschien was Bologna ook toen al een broeinest van links. De boodschap die het gebouw uitstraalde had niet duidelijker kunnen zijn: achter de jongens in het blauw stonden de mannen in het zwart.

De binnenkant was nauwelijks minder ontzagwekkend, maar de ontvangst die Zen ten deel viel bleek geruststellend ingehouden. Zijn contact was ene Salvatore Brunetti, wiens optreden Zen deed denken aan dat van de vele artsen met wie hij te maken kreeg gedurende zijn verblijf in de Romeinse kliniek. Ze wekten altijd de indruk dat Zen een lasterende zonderling was, die niets mankeerde maar die je ter wille moest zijn om gewelddadige uitbarstingen te voorkomen.

'En, wat behelst uw missie hier precies?' informeerde de Bolognese politieman zodra ze zich van de gebruikelijke beleefdheden hadden gekweten.

'Misschien kan ik u beter vertellen wat ze niet inhoudt,' antwoordde Zen. 'Bijvoorbeeld, ik ben hier niet om te interveniëren, het roer over te nemen, uw gezag te ondermijnen en bovenal niet om bij mijn superieuren in Rome over u te klikken.'

Salvatore Brunetti keek hem weer op dezelfde beleefde, afstandelijke, lichtelijk geamuseerde manier aan.

'Mijn opdracht is heel duidelijk,' sprak Zen gedecideerd verder, 'en ik ben voornemens hem naar de letter uit te voeren. Gelet op de identiteit van het slachtoffer en de omstandigheden waaronder hij stierf, wordt dit zonder meer een zaak waarop de schijnwerpers gericht zijn en inmiddels is er al veel over gepubliceerd en gezegd. Mijn superieuren op de Viminale wensen vanzelfsprekend op de hoogte gehouden te worden van gebeurtenissen, wanneer ze zich voordoen en wel in real time. Dit om er maximaal politieke munt uit te slaan wanneer ze positief zijn, en zo niet om negatieve fall-out zo snel mogelijk te bagatelliseren. Mij hebben ze opgedragen dit proces te faciliteren. En dat is alles.'

Brunetti wachtte even en glimlachte toen flauwtjes.

'Dat is buitengewoon eerlijk van u, vice-questore.'

'Te eerlijk, bedoelt u. Verdacht eerlijk, feitelijk. Maar het geval wil dat het is zoals ik het zeg. Ik ben van een iets oudere generatie dan u, dottor Brunetti, en af en toe gun ik mezelf de luxe van het zeggen wat ik echt meen. En dat doe ik nu. Ik kan me goed voorstellen dat u me niet per se gelooft, maar eerlijk gezegd zou het ons beiden veel tijd en ongemak schelen indien u dat wel deed.'

Ietwat overrompeld begon zijn gesprekspartner nerveus te lachen. 'Maar natuurlijk geloof ik u!'

Met iets van arrogantie wees hij naar de dikke dossiermap op het teakhouten bureau dat tussen hen in stond.

'Hierin zult u alles vinden wat we tot dusver weten. En aarzelt u vooral niet om het me te vragen als er punten zijn die u verduidelijkt of toegelicht wilt zien.'

Zen pakte de dossiermap en stopte hem in zijn aktetas.

'Dank u,' zei hij. 'Ik zal me er zo snel mogelijk in verdiepen. Maar zou u me intussen een beknopte samenvatting willen geven van de hoofdpunten?'

Brunetti knikte heftig.

'Het ligt vrij duidelijk. Uit de autopsie en het forensisch onderzoek is komen vast te staan dat Lorenzo Curti op de bestuurdersplaats van zijn auto werd vermoord, een uur voordat het voertuig werd ontdekt door een van onze patrouilles. Hij werd eerst door het hart geschoten met een 7.62-millimeterkogel, die uit het lichaam is verwijderd. Vervolgens werd hij in de borst gestoken met een snijmes voor Parmezaanse kaas, dat we in die toestand aantroffen en eveneens borgen. De aanwezigheid van voornoemd voorwerp duidt op bekendheid met de zakelijke en de familieachtergrond van het slachtoffer.'

'En op voorbedachten rade.'

'Precies. Curti had de uitwedstrijd bijgewoond tussen zijn voetbalteam en Ancona. Na de wedstrijd bracht hij enige tijd door met de manager en de spelers in de kleedkamer en daarna vertrok hij alleen, met de bedoeling naar huis te rijden. Het elektronisch tolboek geeft aan dat zijn Audi saloon kort voor zeven uur die avond bij Ancona-Noord de autostrada op reed en deze iets meer dan negen minuten later weer verliet bij Bologna San Lázzaro, zeer kort voordat hij werd vermoord.'

'Was dit zijn gebruikelijke route?'

'Nee. Hij woonde buiten Parma. De reden waarom hij de autoweg op dat punt verliet is nog onduidelijk. Rond die tijd van de nacht is het op dat stuk tamelijk onveilig, maar het element van voorbedachten rade en dat wat de steek met het kaasmes na het intreden van de dood ons impliciet zegt, sluiten de mogelijkheid vrijwel uit dat de misdaad uit opportunisme of zonder vooropgezette bedoeling werd gepleegd door een lifter, drugsdealer of pooier. Het is vrijwel zeker dat Curti zijn moordenaar kende en zeer wel mogelijk dat ze met elkaar hadden afgesproken op de plaats van de moord dan wel dat ze gezamenlijk uit Ancona kwamen.

Waarom zou Curti anders de autostrada bij San Lázzaro verlaten hebben in plaats van door te rijden naar de A1 richting Parma?'

'Dus jullie hebben in de kring van sociale en zakelijke contacten van het slachtoffer naar iemand gezocht die een motief kon hebben om hem te vermoorden?' opperde Zen behulpzaam.

'Uiteraard hebben we dat gedaan,' antwoordde Brunetti. 'Maar tot dusver zonder resultaat.'

'Integendeel! Het blijkt dat zo ongeveer iedereen die Curti persoonlijk of zakelijk kende een reden bezat om hem dood te wensen. Zoals u waarschijnlijk weet, stortte zijn zakenimperium van het ene op het andere moment in. De aandelen zijn nu praktisch niets meer waard, en onze vrienden bij de *Guardia di Finanza* starten momenteel een grootscheeps fraudeonderzoek dat vrijwel zeker zal resulteren in gevangenisstraffen voor vele betrokkenen – Curti incluis – ware het niet dat dit was gebeurd.'

'Maar nu zal hij niet kunnen getuigen.'

'Verleidelijke hypothese, vindt u niet?'

Even zwegen beide mannen.

'Helaas...'

Brunetti liet het woord even in de lucht hangen.

'Het slechte nieuws is dat vrijwel alle potentiële verdachten de wedstrijd bijwoonden, uit waren met vrienden of in huiselijke kring verkeerden. Van de rest bevond een aantal zich in het buitenland en een was aan het bevallen.'

'Een vrouw?' informeerde Zen.

Brunetti negeerde hem goedmoedig.

'Ondertussen heeft de Curti-clan een verklaring doen uitgaan waarin ze iedere betrokkenheid met klem ontkennen en een beloning uitloven van een miljoen euro voor tips die leiden tot de arrestatie en veroordeling van de moordenaar. Kortom, we beschikken over een enorme lijst met potentiële verdachten, maar over geen enkel hard bewijs tegen een van hen, terwijl zij vrijwel allemaal een keihard alibi lijken te hebben.'

'Wat heeft het sporenonderzoek in de auto opgeleverd? Vezels, haren enzovoort.'

'Ladingen, negenennegentig procent afkomstig van een hond. Curti hield een labrador. En ook massa's vingerafdrukken. Maar zelfs al hadden we een treffer, dan nog zou dat niets bewijzen. Vrijwel alle verdachten zullen op enigerlei moment in die Audi hebben gezeten en de meesten van hen zeer onlangs.'

'En het vuurwapen?'

'In de auto werd een lege patroonhuls aangetroffen, die wijst op een semi-automatisch pistool. Het gaat om een randloos stalen model met een laagje koper en op de achterkant vooralsnog niet geïdentificeerde stempels van waarschijnlijk buitenlandse origine. Op het forensisch-technisch lab hebben ze de beschadigingen op de kogel door het systeem gehaald. Niets. Lijkt erop dat het pistool hier nooit eerder gebruikt is.'

'Een huurmoordenaar? Het klinkt mij alsof veel mensen Curti dood wensten, zolang ze zelf maar een keihard alibi hadden. En tegenwoordig zitten er in Oost-Europa zat mensen met de voor moord benodigde vaardigheden en uitrusting zonder passend werk.'

'Het is een mogelijkheid,' erkende Brunetti.

Zen stond op en klemde zijn aktetas tegen zich aan.

'Nou, het klinkt als een interessante uitdaging. Laat u het me vooral weten als zich iets nieuws voordoet. Op ieder uur van de dag of nacht. Voor het overige zal ik u niet voor de voeten lopen.'

Hij liep met gebogen hoofd door de schier eindeloze gangen van de questura, toen hij achter zich het geluid van rennende voeten hoorde. Er dook een jonge man in uniform op.

'Dottor Zen! Neemt u me niet kwalijk, maar we passeerden elkaar net en ik herkende u.'

Zen keek hem niet-begrijpend aan. De politieagent bracht zijn hand naar zijn pet.

'Bruno Nanni, dottore. Ik was uw chauffeur, toen u vorig jaar de Alto Adige bezocht.'

Zen glimlachte breed.
'Dus het is allemaal gelukt?" zei hij oprecht vergenoegd.
'Ik werd tien dagen later overgeplaatst. Ongelooflijk, hè? En allemaal dankzij u, *capo*!'
Zen maakte een relativerend gebaar.
'Ik heb even met een zeker iemand gesproken, maar zoiets heeft niet altijd effect.'
'Dit keer wel, dottore, en ik kan u niet genoeg bedanken. Maar wat doet u hier in Bologna, als ik zo vrij mag zijn?'
'Niets bijzonders, een routineklus. Een tijdelijke detachering om een lopende zaak te bestuderen en te beoordelen.'
'Heeft u plannen voor vanavond?'
'Absoluut geen.'
'Dan heeft u misschien zin om naar het stadion te gaan.'
'Het voetbalstadion?'
Nanni knikte
'De club houdt een herdenkingsbijeenkomst voor Lorenzo Curti. Gek genoeg was ik degene die het lijk ontdekte. Maar goed, de spelers zullen er allemaal zijn, de staf en natuurlijk de supporters. Allemaal zullen ze op hun eigen manier eer bewijzen aan wijlen de directeur van FC Bologna.'
'Klinkt niet echt als iets voor mij, Bruno.'
'Beroepsmatig zou het wel eens interessant kunnen zijn,' merkte Nanni iets te nonchalant op.
'In welk opzicht?'
'Die zaak waarnaar u komt kijken, dat kan niet anders dan de moord op Curti zijn, toch? Het ministerie stuurt vast geen topfunctionaris zoals u naar Bologna voor iets anders dat hier recentelijk is gebeurd. Het gebeuren zelf is waarschijnlijk niet zo interessant, maar het stadion zal afgeladen vol zitten met de fanatieke supporters uit de stad.'
'En?'
Bruno Nanni glimlachte geheimzinnig.
'Wat ik van vrienden heb gehoord, is dat een zeker iemand, een van de geschiftste en gewelddadigste types onder de voetbalvandalen, heeft lopen rondstrooien dat hij

Curti heeft vermoord. Vanavond zal hij er ongetwijfeld bij zijn en ik ken de bar waar die bende zich na afloop gaat laten vollopen. Misschien loont het voor u de moeite wel om een blik op hem te werpen.'

Zen maakte een afweging. Wat had hij uiteindelijk te verliezen? Zijn enige alternatief bestond uit een eenzaam diner en daarna een eenzame avond voor de televisie in zijn hotelkamer. Misschien zou hij dan van ellende zelfs het dossier gaan lezen dat Brunetti hem had gegeven.

'Prima. Ik zit in Hotel Roma, hier net om de hoek.'

'Ik kom u even voor zessen ophalen, dottore.'

Een verblindende flits.

'Lachen, je bent in *Verborgen camera*!'

Vincenzo stond in de deuropening met een overdreven nonchalante lichaamshouding. Hij had een been achter zich opgetrokken en hield een minuscuul metalen voorwerp tegen zijn oog. Nog een felle halogeenflits. Vincenzo lachte en wierp het object door de kamer naar Rodolfo, die zijn boek neerlegde en het ding nog net wist te vangen.

'Gaaf, hè?'

Rodolfo bekeek het ding van alle kanten. Het leek hem een camera, maar veel kleiner dan hij ze kende of mogelijk had geacht. Maar aangezien Vincenzo duidelijk high was, besloot hij te veinzen dat hij er niet warm of koud van werd.

'Knap hoor,' zei hij koeltjes. 'Hoeveel heeft dat ding gekost?'

Hierop lachte Vincenzo uitgelaten.

'O, ik heb het gisteravond na de wedstrijd meegepikt,' zei hij ten slotte. 'Samen met nog een speeltje dat ook lang niet gek is. Wat zal ik je zeggen? Ik had geluk. Eindelijk had ik geluk.'

Hij begon rusteloos door de kamer te ijsberen, waarbij hij nu en dan een schop tegen het meubilair gaf.

'Heb je weer Ritalin gesnoven?' vroeg Rodolfo.

'Gaat je geen zak aan. Je bent mijn moeder niet.'

Rodolfo sloot het boek waarin hij had zitten bladeren en gaf een zacht klopje op de stevige, eenvoudige, versleten leren band. Hij moest het vandaag nog terugbrengen, dacht hij. Werken zo zeldzaam en kostbaar als dit mochten de universiteitsbibliotheek eigenlijk niet verlaten, maar doctoraalstudenten van professor Edgardo Ugo genoten zekere privileges.

'Ik probeer te studeren, Vincenzo,' loog hij.

Zijn huisgenoot grijnsde agressief.

'Dus jij bent van plan om hier de hele avond in een muf, oud boek te zitten lezen om daarna onzin neer te krabbelen die die klojo van een professor toch maar afzeikt? Jezus, wat een zielig leventje!'

'In elk geval kan ik neuken.'

'Poeh, met een illegale immigrante uit god mag weten welk land, met een los-vastbaantje als schoonmaakster. Gefeliciteerd, *terrone*! Geweldig stel, jullie samen.'

Rodolfo kwam razendsnel overeind. Hij greep Vincenzo bij de schouder en smakte hem tegen de muur.

'Dat neem je terug!'

Vincenzo keek verbijsterd.

'Barst! Kun jij niet tegen een grapje?'

Rodolfo hield hem tegen de muur aan gedrukt en keek Vincenzo strak in de ogen tot hij van hem wegkeek.

'Klotezuiderlingen,' lamenteerde Vincenzo. 'Stelletje hysterische gekken.'

'Klopt als een bus, vrind. En als je ooit nog één beledigende opmerking maakt over mijn vriendin, of over mijn streekgenoten, dan zul je merken hoe gek we kunnen zijn.'

Vincenzo schudde zwakjes zijn hoofd.

'Va bene, va bene. Basta, oh!'

Rodolfo knikte veelbetekenend en liet de ander toen los. Vincenzo schudde zich met een zekere hooghartigheid.

'Trouwens, jullie zijn niet de enigen die weleens een beetje gek zijn. Alleen uiten wij, noorderlingen, nooit loze dreigementen.'

Rodolfo liep terug naar de bank en sloeg Andrea de Jorio's *La mimica degli antichi investigata nel gestire napoletano* open bij de afbeelding die hij zoëven had bestudeerd, vol verbazing over de kwaliteit en de gedetailleerdheid van de gravure.

'Wat wil je daarmee zeggen?' mompelde hij al gapend.

'Dat er vanavond eer bewezen wordt in het stadion.'

'Je spreekt in raadselen.'

Vincenzo lachte smalend.

'Als jij dat hoofd van je eens uit de boeken haalde en je in de echte wereld verdiepte, dan zou je het antwoord weten.'

'Helaas ben ik, anders dan jij, geen verwend ventje, Vincenzo. Ik kan het me niet veroorloven om de eeuwige student uit te hangen. Mijn vader heeft er veel geld in gestopt om mij hier een graad te laten halen. Uiteraard verwacht hij enig resultaat te zien van die investering.'

En hij zal geschokt en woedend zijn wanneer hij erachter komt dat ik het verknald heb, dacht hij.

'Al die interpretatieonzin die jij bij Ugo studeert?' kaatste Vincenzo terug. 'Nou, interpreteer dit dan maar eens! Iemand heeft Lorenzo Curti vermoord omdat hij ons team, met heel zijn glorieuze geschiedenis, kocht voor een appel en een ei, en omdat hij daarna de beste spelers allemaal liet gaan en te krenterig was om ze te vervangen. Hij heeft ons jarenlang genaaid en gisteravond heeft hij daarvoor de prijs betaald.'

'Op de televisie zeiden ze dat het mogelijk verband hield met zijn zakelijke affaires.'

Vincenzo haalde geërgerd zijn schouders op.

'Wat weten die onbenullen nou helemaal? De klootzak is dood, en dat is wat telt. En er is geen oprechte Bologna-supporter die daarover niet zielsgelukkig is. Vandaar dat we met zijn allen naar dat herdenkingsgedoe gaan dat ze organiseren, alleen – let op – wij gaan zolang als het duurt alleen maar lachen. Ik ben een beetje stoned, maar de anderen zullen dat ook zijn. We gaan niets buitensporigs doen, maar op de tribunes gaan wij onze eigen privéherdenkingsdienst houden. En ik beloof je dat de toon nogal zal verschillen van de officiële op het veld. Dus geef me dat jack dat je van me hebt gejat.'

Rodolfo pakte het afgedragen, zwarte, leren kledingstuk en overhandigde het aan Vincenzo, die zonder verder nog een woord te zeggen het appartement uit stampte en de deur met een klap achter zich dichtsloeg.

Weer zalig alleen, keek Rodolfo nog een laatste keer goed naar de *Disprezzo*-gravure die hij op de ultramoderne apparatuur van de universiteit had gescand en gedownload om haar vervolgens naar professor Ugo te sturen. Het beschikken over diens e-mailadres en mobieletelefoonnummer behoorde eveneens tot de voorrechten die Ugo zijn doctoraalstudenten toekende.

Niet dat Rodolfo er nog een was. Zijn docent had hem in niet mis te verstane bewoordingen te kennen gegeven dat verdere deelname aan de werkgroep hem werd ontzegd en dat hij kon fluiten naar het behalen van zijn graad, hoewel het hem, zoals ieder ander, helemaal vrij stond om de befaamde wekelijkse hoorcolleges van de professor bij te wonen, waarvan het eerstvolgende morgen plaatsvond. Rodolfo's gezicht plooide zich in een peinzende glimlach. Misschien deed hij dat ook wel om er zijn eigen 'privéherdenkingsdienst' te houden, net zoals Vincenzo en de rest van de reltrappers vanavond in het stadion. Niets buitensporigs, zoals Vincenzo het had uitgedrukt, maar hij zou zich even kunnen laten zien. Hij moest trouwens toch binnenkort naar de universiteit, al was het maar om het boek van Andrea de Jorio terug te brengen, plus alle andere die hij de afgelopen maanden had geleend en waarvan de meeste al veel te lang in zijn bezit waren.

Hij liep naar zijn slaapkamer en terwijl hij op de planken naar de betrokken titels speurde, ging de telefoon.

'Met je oude vader, Rodolfo. Niks bijzonders, mijn wekelijkse telefoontje. Om een beetje contact te houden.'

'Ja, natuurlijk.'

'En hoe gaat het?'

'Best, pap. Best.'

'Ik wou dat ik hetzelfde kon zeggen.'

'Wat is er gebeurd?'

'Ach, niets eigenlijk.'

Rodolfo's vader sprak even niet verder.

'Althans niets dat ik over de telefoon wil bespreken. Begrijp je?'

'Wat is er gebeurd?'

Een ruwe lach maakte ten slotte een einde aan de stilte die op deze vraag was gevolgd.

'Wat leren ze jou daar op de universiteit?' vroeg zijn vader zacht, bijna alsof hij voor zich heen mijmerde. 'Jij weet niets. Minder dan toen je tien was. Vijf zelfs. Niets, niets...'

Zijn stemgeluid stierf weg.

'Ik weet heus wel wat dingen,' antwoordde Rodolfo uitdagend, in de hoop dat hem niet om een voorbeeld gevraagd werd.

Maar nu klonk zijn vader boetvaardig.

'Natuurlijk, natuurlijk. Je bent vast erg geleerd. Je moet het me niet kwalijk nemen, het is alleen...'

'Wat, pap?'

'Niets. Blijf nou maar gewoon praten, dat kalmeert me. Misschien heb ik gewoon te hard gewerkt.'

'Waaraan?'

'Ach, dat doet er niet toe.'

'Vertel het me!!'

'Nou, we zijn een keermuur aan het herbouwen in een bocht in de weg voorbij Monte Iacovizzo, hoog in de Gargano. Het is in het nationale park, dus moeten we de oorspronkelijke granietblokken gebruiken. Een doffe ellende. We zitten er al de hele maand en nog zijn we niet klaar. Het budget wordt enorm overschreden, maar het is voor de overheid, dus kostenoverschrijding doet er niet toe.'

Er viel een stilte.

'Wat is een keermuur?' vroeg Rodolfo achteloos.

Zijn vader lachte schamper.

'Doe nou niet alsof het je een bal kan schelen!'

'Het kan me wel wat schelen.'

Opnieuw een lange stilte.

'Nou,' begon zijn vader aarzelend, alsof hij nog steeds een valstrik vermoedde, 'in wezen geven ze steun aan onstabiele grond. En ze leveren altijd problemen op, vooral oude muren zoals die we nu herstellen.'

'Waarom?'

'Omdat ze tegen de wetten van de zwaartekracht en bodemmechanica ingaan. Er zijn zoveel manieren waarop het mis kan gaan met zulke muren.'

'Zoals?'

'Schuiven, het feilen van de fundering, noem maar op. Kantelen komt het meest voor. Wat de meeste mensen niet beseffen is dat specie geen lijm is. Ze dient alleen om ongelijkheden op de blokken steen vlak te maken en het drukdiagram constant te houden. Een keermuur is een eenvoudige gravitatiestructuur, dus je moet het kantelingsmoment berekenen.'

'Je kunt voorspellen wanneer hij zal kantelen?'

Zijn vader lachte laatdunkend, maar dit keer klonk er toegeeflijkheid in door. 'Niet zo'n moment, nee, idioot! De buitenwaartse druk op zekere afstand van de basis. Het gewicht van de blokken maal de horizontale afstand tot de voorkant van de muur levert het terugdraaiingsmoment op. Dat moet natuurlijk groter zijn dan het kantelingsmoment, wil je dat het ding overeind blijft staan.'

'Dit is volkomen nieuw voor me,' merkte Rodolfo op.

Zijn vader lachte zuinig.

'Neem je me nou in de maling? Een beetje uit de hoogte doen tegen je domme, oude vader die doorzeurt over zaken die de Romeinen al wisten als was het het laatste nieuws!'

'Voor mij is het nieuws.'

'Vast wel, maar waarom zou het je interesseren?'

'En dat feilen?' antwoordde zijn zoon.

'Dat kan allerlei oorzaken hebben. Stijgend grondwaterniveau in het regenseizoen of al naar gelang het seizoen krimpen en uitzetten.'

Rodolfo humde begrijpend.

'Dus feilen is de sleutel tot alles,' zei hij.

'Hoe bedoel je?'

'Nou, de mogelijkheid van mislukken. Dat is de waarheidsmaker, zoals filosofen dat zeggen. De enig authentieke taken zijn de taken waarbij je de mist in kunt gaan.'

Er viel een stilte. Nee, hij hoorde de zee of misschien was het het ruizelen van de wind in de eiken om het huis. Daarna meende hij dat zijn vader zachtjes lachte. Maar toen het geluid aanhield, besefte Rodolfo dat zijn vader huilde.

'Wat is er, pap?' riep hij oprecht geschrokken uit.

'Ik ben zo eenzaam. Sinds de dood van je moeder ben ik helemaal alleen en ik zit met zoveel problemen, zakelijk en persoonlijk. Ik wil jou hier hebben, maar het enige wat ik krijg is de stem van een onzichtbare door de telefoonkabel. Ik haat telefoons, ik haat computers, ik haat die technologie die onze ziel steelt! Je mag om me lachen zoveel je wilt, maar dat neemt niet weg dat ik graag zou willen dat jij hier was. Hier in Puglia, hier thuis. Jij, mijn enige zoon.'

Nogmaals stilte.

'Begrijp je het nu?' vroeg zijn vader.

'Tja, dat weet ik eigenlijk niet. Ik bedoel, wat heb je precies in gedachten?'

'Nee, je begrijpt het niet,' bitste zijn vader, die zich er duidelijk voor schaamde dat hij zijn zoon voor het eerst had laten merken hoe hij zich voelde. 'Jouw probleem, Rodolfo, is dat je te hoog opgeleid bent voor je intelligentie. Waar gaat die *semiotica* trouwens helemaal over, verdomme? Kun jij het me uitleggen op de manier zoals ik jou keermuren net uitlegde? Als je zo nodig nog meer van jouw tijd en mijn geld aan de universiteit moet verspillen, doe het dan echt en ga *ottica* studeren. Op die manier zou je tenminste wat geld kunnen verdienen als oogarts wanneer je eindelijk afstudeert, als het daar ooit van komt. Mensen hebben altijd hulp bij het zien nodig. Ik kan tegenwoordig zonder mijn bril het verschil niet meer zien tussen een spanningsscheurtje en de draad van een spinnenweb.'

Belachelijk genoeg merkte Rodolfo dat hij precies het standpunt verdedigde dat hij bij herhaling tijdens Ugo's werkgroepbijeenkomsten had aangevallen.

'Je verwart de etymologie, pap. Het Latijnse voorvoegsel

"semi" is afgeleid van *sami* uit het Sanskriet en dat betekent een helft of een stuk, terwijl semiotiek van het Griekse woord *sèmeion*, teken, komt. Het betekent de bestudering van tekens.'

'Zoals verkeerstekens?'

'Nou, het ligt een beetje ingewikkelder dan dat. Goed beschouwd is alles een teken.'

Er klonk een zware bons.

'Dit is geen teken. Dit is een tafel, verdomme, doe mij effe een lol!'

Rodolfo zag ogenblikkelijk het zware oppervlak vol krassen en schroeiplekken voor zich, alsof het voor hem stond. Maar hij was getraind door meesters.

'Op zich is het niets. Maar nu dat je het zo hebt aangeduid is zijn betekenaar "een tafel" voor het doel van deze tekst.'

'Het is niets, wat bedoel je daarmee?'

Rodolfo was maar al te vertrouwd met de toon van razernij die nu door zweemde in de stem van zijn vader.

'Ik heb dit klerekreng met mijn eigen handen gemaakt van spanten uit mijn geboortehuis! Harde, droge steeneik, minstens vierhonderd jaar oud. Man, ik kon het amper zagen of schaven, nog niet met de allerzwaarste apparatuur. En jij vertelt mij dat het niets is?'

'Geen woord of ander teken heeft enige betekenis behalve binnen de context van een specifiek discours. Voor jou is die tafel duidelijk vol betekenis, gelet op zijn fysieke oorsprong in het bouwmateriaal van je geboortehuis, het idee van "de eettafel van het gezin", en in het verlengde daarvan het altaar in de kerk waar men ter communie gaat. Maar geen hiervan hoort intrinsiek of noodzakelijkerwijs bij het stoffelijke object waar je zonet op sloeg. Dat mag duidelijk zijn.'

Zijn vader zuchtte.

'Het enige dat ik weet is dat ik deze tafel heb gemaakt en dat mijn bouwbedrijf nu muren, bruggen, wegen, kantoorgebouwen, flatgebouwen en wat dan ook bouwt. En die blijven staan of ze begeven het.'

'Daar gaat het niet om. Als iemand zegt "Dit is echt een goed boek", dan verwijzen ze daarmee niet naar een object dat zus weegt of dit of dat formaat heeft. Waarover men het in dat geval heeft is de tekst, het discours, en de eindeloze verscheidenheid van mogelijke interpretaties die deze biedt.'

'Jij en je rotboeken!'

Er klonk een droge klik toen de hoorn werd opgelegd.

Jij en je rotboeken. Rodolfo bekeek de overvolle planken aan de muur van zijn slaapkamer. Nou ja, die moesten weg. Flavia trouwens ook maar. Hij kon evengoed meteen helemaal schoon schip maken. Bovendien zou zijn vader door het lint gaan als hij erachter kwam dat zijn zoon niet alleen van de universiteit was getrapt maar ook nog eens praktisch samenwoonde met een illegale immigrante uit een Oost-Europees land waarvan niemand ooit had gehoord en wier echte naam vrijwel zeker niet Flavia was.

Dat liet alleen Ugo over. Het liefst had hij daar ook een dikke streep doorheen gehaald, maar hoe dat zou moeten kon hij niet bedenken. Hij begon de zware boeken naar beneden te tillen en ze op het nachtkastje te stapelen. Toen hij Umberto Eco's *La struttura assente* van de plank trok, zag hij achter het boek ernaast iets dofmetalig glanzen. Hij stond er eventjes naar te staren, voordat hij zijn hand erheen bracht en een halfautomatisch pistool te voorschijn trok. De houten greep was verfraaid met een ornamenteel, metalen embleem met een grote rode ster erbovenop en gegraveerd op de loop stonden de woorden 'Tony Speranza'.

De deur vloog met een knal open en Flavia's chef kwam binnen.

'Dus hier verstop jij je!'

'Ik verstop me niet,' antwoordde Flavia bedaard. 'Ik berg de spullen weg. Mijn werk is af.'

De kalende gnoom keek haar kwaadaardig aan. Hij zweette en de configuratie van poriën op zijn neus vertoonde gelijkenis met de achterkant van rottend eekhoorntjesbrood. Flavia, zich bewust van de onverdiende superioriteit die haar uiterlijk en houding haar verschaften, voelde iets van onbetrokken medelijden met hem, hoewel ze hem zonder erover te hoeven nadenken vermoord zou hebben indien de noodzaak hiertoe zich had voorgedaan.

'Niks daarvan! De bouwploeg is net klaar met het decor in B1, maar het is er een grote smeerboel. De wedstrijd begint morgen om tien uur, en de andere meisjes zijn allemaal naar huis.'

Met een diepe zucht greep hij zijn hoofd vast.

'God, wat een dag heb ik achter de rug! Op het allerlaatste moment besluiten ze die achterlijke wedstrijd te houden en raad eens wie dat allemaal onverwacht binnen vierentwintig uur moet organiseren? Het is me gelukt om de fornuizen, pannen en de rest van het spul van de standhouders bij elkaar te bedelen, lenen of stelen, maar toen moesten de fornuizen worden aangesloten en moest dat hele, vervloekte decor in minder dan acht uur uit het niets worden opgebouwd. Ik werd er gek van! Maar goed, het is nu allemaal klaar. Alleen is het er een teringzooi en morgenochtend in alle vroegte staat de tv-ploeg op de stoep om zijn boeltje in orde te maken. Dus wil je effe van je illegale reet komen, nu meteen,' snauwde hij, terwijl hij weg stampte, 'of anders zorg ik wel dat-ie wordt teruggestuurd naar waar hij ook vandaan mag komen.'

Ruritanië, dacht ze. Ik ben prinses Flavia en ik heb een Ruritaanse reet.

Ze laadde haar stokdweil, emmer, lappen, flessen schoonmaakmiddel en andere spullen op het karretje en duwde het, samen met de stofzuiger, de immense arena in, waar onder het plafond een ingewikkelde massa gele buizen hing, die tezamen op een gigantisch model van een molecule leken. Na een halve kilometer afgelegd te hebben langs stands waar alle mogelijke soorten voedingsmiddelen, wijnen en keukenapparatuur uitgestald waren bereikte ze de dubbele deuren van hal B1. Ze duwde de deur open met haar Ruritaanse reet, trok de werkspullen naar binnen en daarna draaide ze zich om teneinde de omvang van het te klaren karwei in ogenschouw te nemen.

Elk doorzeurend gevoel van zelfmedelijden en verontwaardiging viel onmiddellijk van haar af. De enorme ruimte was in duisternis gehuld, behalve het fel verlichte podiumgedeelte, waar aan weerskanten een keuken was gebouwd, met daartussenin een met wanden afgeschermde namaakeetkamer. Flavia was meteen verkocht. Het geheel leek op een grote versie van het poppenhuis waarmee ze als kind had gespeeld, voordat dit tezamen met alle overige familiebezittingen én de familie zelf verstrooid was geraakt. Ze noemde het poppenhuis het Huis van Geluk en droeg deze naam over op het staatsweeshuis waar ze later naar toe was gestuurd, alsof de betonnen muren van dat angstaanjagende instituut ook weggeklapt konden worden en zijn dak eraf getild, zodat de massa's hoeken en gaten zichtbaar werden waar allerlei geheimen bij de hand maar toch veilig uit het zicht gehouden konden worden. De herinnering aan de boeken, bijvoorbeeld, die ze zo dikwijls had gelezen dat ze ze uit haar hoofd kende. Zodra ze de Italiaanse versie van een van die boeken ontdekte op een marktkraam in Triëst, besefte ze dat deze het vreemde dialect van haar eigen geliefde taal zou ontsluiten. En uiteindelijk fungeerde het boek ook als een soort middelaar bij haar kennismaking met Rodolfo.

Het was, zo vertelde hij haar later, de allereerste keer dat hij een voet zette in La Carrozza en dat gebeurde die avond ook alleen maar omdat het begon te stortregenen en hij net herstellende was van een zware kou. Tot dan hadden de zuilengangen hem tegen de bui beschermd, maar op het volgende stuk naar huis was dat niet meer zo en hij zou tot op de huid zijn natgeregend als hij was doorgelopen. Afgezien van bij een jonge vrouw aan tafel, die alleen zat en een boek las nu ze klaar was met eten, was er nergens een plaatsje vrij. Daarom vroeg hij of ze er bezwaar tegen had als hij bij haar kwam zitten. De pizzeria was een no-nonsense-etablissement waar vragen als deze louter een beleefde formaliteit waren. Zonder zelfs maar op te kijken mompelde Flavia dat ze het best vond en gebaarde naar de lege stoel. Rodolfo bestelde wat *olive ascolane* en een biertje. Flavia zat achter een kop middelmatige koffie zich ingespannen en traag door de gehavende paperback heen te werken die in een fel, opzichtig lettertype de titel *Il Prigioniero di Zenda* droeg.

'Neemt u me de vraag niet kwalijk,' vroeg de jongeman ten slotte, 'maar wat leest u?'

'Ik leer Italiaans,' antwoordde ze. 'Dit is mijn leerboek.'

Hij had het hier makkelijk bij kunnen laten of een domme opmerking kunnen maken die meteen een punt achter alles had gezet. In plaats daarvan knikte hij zwaarwichtig alsof ze zojuist iets diepzinnigs had gezegd.

'Boeken zijn goed, maar om een taal goed te leren heeft men beslist een leraar nodig.'

Door de veelheid aan antwoorden die deze opmerking bood, verkeerde ze, heel even maar, in verwarring.

'Dergelijke luxe kan ik me niet permitteren. Bovendien geef ik er de voorkeur aan dingen te ontdekken door ze fout te doen.'

Hierop lachte hij, naar het scheen spontaan, waardoor ze hem de impertinentie vergaf van zijn volgende opmerking.
'Godallemachtig, een vrouw die mij aan het lachen krijgt! Waar heb jij mijn hele leven gezeten?'

Zijn naam was haar natuurlijk al even vertrouwd als die van haarzelf, wat wellicht het gemak hielp verklaren waarmee de dingen hun loop namen, alsof ze al waren vastgelegd in een boek dat ze uit haar hoofd kende. Maar alle boeken eindigen. Nu, twee maanden later, voelde ze dat het pak ongelezen bladzijdes almaar dunner werd.

Maar ja, er was werk aan de winkel. Ze liep het toneel op en ging energiek aan het werk, terwijl ze nadacht over wat ze iemand anders uit de schoonmaakploeg had horen zeggen over wat er morgen te gebeuren stond. Het scheen een soort duel te zijn, zoals dat tussen Zwarte Michael en de dubbelganger van koning Rudolf, alleen met potten en pannen in plaats van met zwaarden en pistolen.

Ongeveer tien minuten later kwamen er vanuit de coulissen een man en een vrouw het decor in gelopen en ze stapten regelrecht door het stuk dat Flavia net had gedweild en in de was gezet. Ze wierp hun, zonder verder iets te zeggen, een woedende blik toe.

'Zo, hier is het,' zei de vrouw tegen de man. Ze was in de dertig, met modieus in de war gemaakt haar, gekleed in een beige pakje en ze droeg een imponerende aktetas. 'Dit wordt je keuken. Die van Ugo is aan de andere kant. Beide zijn zichtbaar voor het publiek, maar niet voor elkaar of voor de juryleden, die worden aan tafel gezet in...'

'Delia!'

De man gaf haar een por en wees naar Flavia. Hij was zwaar en droeg een baard en hij had de uitstraling van iemand die graag plezier zou maken maar niet wist hoe dat moest. Dat zelfingenomen mens dat hij bij zich had zou hem daar zeker niet bij kunnen helpen, dacht Flavia. Lo Chef wekte bij haar instinctief het gevoel dat ze hem onder haar gehavende vleugels moest nemen. Aasgieren zoals die vrouw hadden zich ook op haar eigen land gestort. Misschien dat zelfs Victoria er een was geworden. Het vergde grote rijkdom en invloed om pakketten, zoals zij er onlangs een had ontvangen, ongeschonden over zoveel landsgrenzen heen te krijgen.

De vrouw kwam met grote passen naar waar Flavia op haar stokdweil leunde.

'Het spijt me, maar ik moet u vragen om te vertrekken. Ik heb een bijzonder belangrijke bespreking met signor Romano Rinaldi over zijn optreden morgen en we kunnen daarbij niet gestoord worden.'

Flavia schokschouderde.

'No capire. Di Ruritania.'

Ze maakte een vaag handgebaar, alsof ze wees naar een grote maar ongedefinieerde vorm achter in het decor. Met een geïrriteerd hoofdschudden liep Delia terug naar haar metgezel.

'Niets aan de hand, het is maar een asielzoekster. Begrijpt geen Italiaans. Goed, zoals ik al zei, de jury zit in de eetkamer tussen de keukens en is zichtbaar voor het publiek maar niet voor de koks.'

De man haalde wel vijf of zes keer heel kort en heel luid adem. Hij graaide een potje pillen uit zijn zak en draaide aan de knop van een glimmende kraan in de keuken. Er kwam niets uit.

'Het water is niet aangesloten!' schreeuwde hij schril.

'Maar morgen wel. Hier, ik heb wat Ferrarelle.'

Ze gaf hem een plastic fles aan en met een grimas slikte hij de pillen door.

'En hoeveel hebben wij er in onze zak?' zei hij hees.

'Paleotti, Aldrovandi, Sigonio, Colonna en Gentileschi,' antwoordde Delia. 'Zappi en Giovio neigen naar ons, maar kunnen alle kanten uit, terwijl Orsini zeker voor Ugo zal stemmen. Al was het maar omdat ze dezelfde uitgever hebben. Maar dat maakt alleen maar een betere indruk. Hoofdzaak is dat je sowieso wint, wat er ook gebeurt. Dus relax, wil je? Je hoeft je nergens zorgen over te maken.'

'Jij hebt makkelijk praten! Jij bent niet degene die voor

het oog van god mag weten hoeveel miljoen kijkers overeind moet blijven, iets moet presteren.'

Flavia maakte er een hele vertoning van haar stokdweil over het valse vloertegelvinyl te halen, maar in werkelijkheid luisterde ze aandachtig mee. Haar gesproken Italiaans was nog niet volmaakt, hoewel geenszins zo primitief als haar antwoord aan het nare mens deed denken, maar ze verstond de taal buitengewoon goed. Wanneer je een jonge, arme, machteloze vrouw bent en helemaal alleen in een vreemd land, dan leer je snel.

De Delia geheten vrouw snoof, naar wat scheen, van ergernis.

'Moet je eens horen, Romano, het komt allemaal goed. Geloof me. Je zult het prima doen, een fantastische indruk maken en bovenal zul je je eens en voor altijd zuiveren van de belachelijke smet die op je naam is geworpen. En als je zenuwachtig bent, dan verdubbel je je normale dosis bètablockers maar.'

Ze pauzeerde en keek hem veelbetekenend aan.

'Maar niets anders, oké? Geen coke, geen speed en niet één van die pillen die je hebt geslikt. Niet tot de wedstrijd voorbij is. Begrepen? Erna kun je doen wat je wilt.'

De man knikte terughoudend.

Delia wees naar een groot videoscherm dat schuin boven het decor hing. 'De lijst met ingrediënten wordt daar afgebeeld. Werp er even, maar wel met duidelijke belangstelling, een blik op. Onthoud dat je geacht wordt hem voor de allereerste keer te zien. Neem de ingrediënten in je op met een nonchalant, ontspannen gezicht, alsof je alle mogelijkheden die ze bieden door je hoofd laat gaan, voordat je spontaan een besluit neemt. Daarna draai je je resoluut om, gaat naar het fornuis en zet het water voor de pasta op voordat je aan de saus begint. Doe alles met zwier en *naturalezza*. Misschien kun je wat zingen. Maar, denk erom, niet te veel.'

Ze wees naar het werkblad in de keuken.

'De ingrediënten zullen hier klaarstaan. Je kiest alleen die we hebben doorgenomen met Righi en van de rest blijf je af. Alsjeblieft geen improvisaties op het laatste moment. Ik zal zorgen dat er hier een flesje olie van *Lo Chef Che Canta e Incanta* wordt neergezet. Een beroemdheid als jij prakkiseert er natuurlijk niet over om een inferieur product te gebruiken, plus dat het leuke reclame vormt voor ons merk.'

Ze keek om zich heen.

'Wat verder? Messen hier, naast de snijplank. Pannen daar. Wanneer het gerecht klaar is, druk je op deze zoemer. Er komt iemand om de schaal pasta bij je te halen en hem achter het decor langs naar de eetkamer te brengen, zodat de juryleden niet kunnen weten, althans op papier, uit welke keuken hij komt. De rand van jouw schaal zal een oranje patroontje hebben dat zich subtiel onderscheidt van dat op die van Ugo. Onze mensen zullen precies weten wat van wie is.

Delia keek hem aan.

'Nog vragen?'

'Er gaat vast iets mis,' antwoordde de man op doffe toon. 'Dat weet ik gewoon.'

'Potverdikkeme, Romano! Er zal niets misgaan. Dat kan helemaal niet. Ik heb alle mogelijke voorzorgsmaatregelen genomen. Het enige dat jij hoeft te doen is hier op tijd zijn, met een helder hoofd, om een schaal eenvoudige pasta in elkaar te draaien die zelfs ík nog geblinddoekt zou kunnen maken. Bovendien doet het er niet toe of hij goed is of niet. Heb je het dan nog niet begrepen? Je kunt niet anders dan winnen! Het is allemaal doorgestoken kaart.'

Ze keek op haar horloge.

'Goed, laten we teruggaan naar het hotel. De persconferentie begint over een halfuur.'

Toen ze waren vertrokken maakte Flavia haar schoonmaakwerk af en bracht daarna alle spullen terug naar de bergruimte. Toen liet ze de betonnen woestenij van het fiera-complex achter zich en wandelde naar de bushalte. Het videoscherm gaf aan dat er smogalarm gold, waarbij voor alle voertuigen met een oneven kentekencijfer een rijverbod gold, en dat haar bus over zes minuten zou arriveren. Ze pakte haar telefoon en koos een nummer.

'Met mij. Ik moest overwerken vanwege die kokswedstrijd morgen. Waar ben je? O. Nou, ik verga van de honger. Over een halfuur in La Carrozza? Ja, ik weet dat je het momenteel moeilijk hebt, Rodolfo, maar het zal je goeddoen om er even uit te zijn. Ah, daar is mijn bus. *A presto, caro.*'

Flavia klom in de bus met een glimlach rond haar lippen die absoluut niets te maken had met de zotte intriges die ze had afgeluisterd. Ik ga mijn prins ontmoeten, dacht ze.

Aurelio Zen liet zijn gedachten afdwalen en hij vond het best zo. De lucht was bijtend en beestachtig koud, de nacht schril helder. Op een bevroren, door schijnwerpers verlicht veld in de diepte stonden mannen in pakken en donkere overjassen met gebogen hoofd in een rij op hun beurt te wachten om het podium te mogen betreden en een toespraak af te steken over de veelsoortige verdiensten van Lorenzo Curti, hun persoonlijk ervaren gevoel van verlies en hun kijk op de onbeschrijflijke tragedie die zijn voortijdig verscheiden was voor allen daar bijeen, voor de bredere voetbalgemeenschap thans verenigd in verdriet en rouw, voor de stad Bologna en sterker nog voor het land en de hele wereld.

De directe omgeving bestond uit beton, staal en rijen kuipstoelen van blauw plastic, die het publiek had gevoerd met kranten om zijn kleding te beschermen tegen de smerige neerslag, daar afgezet door de vervuilde leegte boven hen. Afgezien van de overdreven lofredes, kwam het enige geluid van de menigte extremistische supporters aan het andere eind van het stadion, die zonder ophouden een gedempt gejoel lieten horen, vermoedelijk een spontaan betonen van achting.

'Ik zie je zo in de bar,' zei Zen tegen Bruno Nanni toen hij opstond om via de smalle strook tussen de stoelen naar het dichtstbijzijnde middenpad te lopen.

Toen Zen per ongeluk op de voet van een wildvreemde man trapte keek deze agressief naar hem op.

'Vertrek je nu al? Je zou wel eens wat meer eerbied mogen hebben.'

'Het spijt me,' antwoordde Zen, schuddend met zijn hoofd. 'Ik kan het gewoon niet meer aan. Alsof er een dode in de familie is. Begrijpt u?'

Het gezicht van de man drukte nu medeleven uit en hij knikte.

Zen vond zijn weg door de spelonkachtige gewelven en uitgangen van het stadion, tot hij ten slotte buiten stond op de kale *piazzetta*, waar de armetierige grasranden en op sterven na dode struiken en bomen waren overgeleverd aan de sterke, meedogenloze verlichting op haar stalen palen, die vanuit de hoogte op ze neerviel.

Bij hun aankomst had Bruno hem een bar gewezen in een belendende straat, die het officieuze clubhuis van de fanatieke Bolognasupporters zou zijn. Nu waren die allemaal nog in het stadion en was de bar vrijwel leeg. De meest in het oog springende figuur was een forse man in een dubbelrijs overjas en met een grijze slappe vilthoed en een bril met donkere glazen op. Hij stond nonchalant tegen de achterwand geleund een glas whisky te drinken en een Amerikaanse sigaret zonder filter te roken. Het kon niet anders of hij was privédetective. Afgezien van hem waren er alleen drie oudere mannen die achter in de zaak zaten te kaarten en een vrouw van ongeveer hun leeftijd, die een glas Fernet Branca dronk en een lange, gemompelde monoloog afstak tegen een pekinees die waarlijk een triomf voor het taxidermisch kunnen genoemd kon worden.

'... persoonlijk wil ik verbrand worden wanneer de tijd daar is, ook al blijk je voor alle twee evenveel te moeten betalen, nou ja, jij betaalt natuurlijk niets maar...'

Het plafond was versierd met vaandels en vlaggen in het rood en blauw van de club en de muren waren overdekt met foto's van cup- en competitiewinnende teams, die teruggingen tot ver voor de Tweede Wereldoorlog. Zen bestelde een koffie met een scheut grappa en nam die mee naar een tafeltje.

Er verstreek bijna een halfuur voordat het publiek uit het stadion begon binnen te druppelen. De bar raakte al snel vol met jonge mannen van het type honkbalpet, slobberjack, nog slobberiger broek en sportschoenen van synthetisch materiaal, model *club sandwich*. Ze posteerden zich wijdbeens om zo veel mogelijk ruimte in te nemen en bleven daar rondhangen met onduidelijke maar vagelijk dreigende bedoelingen, pratend en starend en drinkend en zich spastisch bewegend.

Zen, die zich enigszins onder de voet gelopen voelde, stond op en vond een plaatsje op elleboogh oogte tegen een met spiegelglas beklede pilaar in het midden van de zaak. De als privéspeurder vermomde man had nu zijn zonnebril afgezet en keek intens geconcentreerd naar een kluitje wel bijzonder stierlijk vervelende nieuwkomers die rechts van Zen positie hadden ingenomen. Hij bracht telkens zijn rechterhand naar zijn gezicht om iets in zijn handpalm te bekijken, wellicht een mobiele telefoon. De gedachte spoorde Zen aan om die van hemzelf te controleren, want in het stadion had hij hem door de aard van de gelegenheid uitgezet. Er was een sms: kom morgen naar bo lunch? Hij drukte op de snelkiestoetsen voor het nummer in Lucca, maar er werd niet opgenomen.

Een van de fans kwam slingerend lopend terug van de bar met een hoog glas met gele likeur in zijn hand. Hij droeg een wollen muts, een zwartleren jack met op de rug het clubembleem, gescheurde jeans en sportschoenen, en hij liep zo tegen de spiegelpilaar op, waarbij hij het grootste deel van zijn drankje op Zens jas morste.

'Cazzo!' gooide hij eruit. 'Wat moet je hier, *vecchione*? Koop een nieuw glas voor me, jij...'

Maar kennelijk werd Zen overvallen door een hevige hoestbui, waardoor hij zijn evenwicht verloor en richting de jonge man strompelde. Even later schreeuwde laatstgenoemde het uit en zakte in elkaar op de tegelvloer. Precies op dat moment verscheen Bruno.

'Hij viel me aan!' schreeuwde de man op de grond, wild om zich heen slaand. 'Hij gaf me een kniestoot in mijn ballen, verdomme! Jezus, wat doet dat pijn!'

Alle gesprekken in de bar verstomden, maar niemand bemoeide zich ermee. De aanklager kwam moeizaam overeind en richtte zich tot Bruno.

'Hoor je bij hem, Nanni?' vroeg hij agressief.

Bruno knikte.

'En wie is die ouwe klootzak dan?'

'Een vriend.'

Hierop volgde een moment waarop er van alles had kunnen gebeuren, tot drie metgezellen van de man erbij kwamen en hem wegsleepten.

'Dat spijt me, dottore,' zei de politieman.

'Kent hij je, Bruno?'

Nanni haalde zijn schouders op.

'Ik hoor niet bij dat hechte groepje van hem, maar we kennen elkaar allemaal min of meer. En met allemaal bedoel ik wij die naar uitwedstrijden gaan.'

'Weet hij dat je bij de politie bent?'

'U denkt toch niet dat ik gek ben?'

Hij boog zich over naar Zen.

'Híj was degene van wie ik wilde dat u hem zou zien.'

'De knul die loopt op te scheppen dat hij Curti vermoordde?'

Bruno knikte.

'En wat weet je over hem?'

'Hij heet Vincenzo Amadori. Zijn vader is advocaat en zijn moeder werkt voor de regionale overheid. Een van de betere families in de stad, zoals men dat hier zegt. Maar het joch hangt graag de desperate *emarginato* uit die niets te verliezen heeft. Hij komt over als een van de zwaarste gevallen in het stadion.'

'En de anderen accepteren hem?'

Weer haalde Bruno zijn schouders op.

'Ze tolereren hem. Het helpt natuurlijk dat hij geld heeft. Zo betaalt hij vanavond alle drank van die kliek daar. Hij geeft de barman gewoon zijn creditcard.'

'Maar hij is niet echt geliefd?'

'Ik zag zonet niemand die hem te hulp schoot.'

Hij keek Zen met iets van ontzag aan.

'Heeft u hem echt een knietje verkocht?'

Zen verkoos dit niet te horen.

'Waarom staat hier niets over in het interimrapport over de zaak-Curti?' wilde hij weten.

Bruno wuifde de vraag met een handgebaar weg.

'Niemand behalve ik weet het. Hoe dan ook, het is niet meer dan een stadionroddel.'

'Of kwaadaardige desinformatie, rondgestrooid door een rivaliserende bende die de pest heeft aan Vincenzo Amadori's gedrag en invloed en probeert hem een hak te zetten.'

'Dat is mogelijk,' moest Bruno erkennen. 'Toch is er één mogelijk belangrijk detail. Die horde huurt altijd een bus naar de uitwedstrijden, om er samen naar toe te kunnen en zich te kunnen volgieten met drank en god mag weten wat nog meer, voordat ze bij de ingang van het stadion door de politie worden gecontroleerd. Ik had dienst op de avond dat Curti werd doodgeschoten, dus ik kon zelf niet naar de wedstrijd. Maar ik heb van horen zeggen, dat hoewel Vincenzo zoals altijd samen met de anderen naar Ancona is gereisd, hij op de terugweg niet in de bus zat.'

Zen zag de man met de trenchcoat en de slappe vilthoed naar de uitgang lopen. Hij gaf Bruno wat geld. 'Haal eens wat te drinken voor ons allebei. Doe mij een grog. En een vochtige doek om die troep van mijn jas te vegen.'

'*Nervoso? Macché?* Voor mij, de koken is het leven! Ik wacht morgen zoals een beloofde echtgenoot op zijn witte brood! Geloof mij, nerveus te zijn, het is meer de timide tegenstander van mij die zich in deze wijze voelt! Ha, ha, ha, ha, ha!'

De Nederlandse journalist knikte verbijsterd en begon tegen zijn buurman te mompelen. Romano Rinaldi keek het gezelschap rond met zijn befaamde stralende, al zijn parelwitte tanden boven de baard tonende glimlach en wekte in zijn algemeenheid een indruk van ontspannen jovialiteit. Nog eens vijf minuten van dit overleef ik niet, dacht hij. Hij ving Delia's blik en keek haar op niet mis te verstane wijze aan. Ze reageerde met een minimale verticale hoofdbeweging, waarop Romano nog breder lachte en koers zette naar de toiletruimte.

Veilig opgesloten in een hokje pakte hij een van de origamisachets die hij in zijn portefeuille bewaarde en snoof de inhoud ervan op van de rug van zijn hand. Eentje maar, dacht hij, genietend van de onmiddellijke roes van helderheid en zelfvertrouwen. Ach, misschien nog eentje. De avond was een succes, dat was wat telde. Wat heet, een triomf was het! Alles schitterde: de borden, de glazen, de lichten, het gezelschap en bovenal hijzelf, de ster! Hij had niet geproefd van de verscheidenheid van heerlijke canapeetjes waarvoor het hotel had gezorgd, want hij had alleen maar trek in het witte poeder – oké, nog een lijntje kon geen kwaad – maar ook dit paste helemaal in het beeld, het was eigenlijk geniaal. Het toonde het verzamelde contingent buitenlandse voedselpornografen dat Romano Rinaldi zelfs de producten uit de beste keuken van Bologna minachtte. Niets was goed genoeg voor Lo Chef, uitgezonderd zijn eigen gerechten.

De persconferentie was in alle haast georganiseerd met het oog op de promotie van een versie van zijn programma in het buitenland. De binnenlandse markt was inmiddels behoorlijk verzadigd, maar elders – vooral in de Verenigde Staten – bevond zich potentieel een immens publiek. Italiaans eten was hip. Romano had met zijn gebruikelijke, terloopse genialiteit in een paar maanden perfect Engels leren spreken. Zojuist had hij daar even een staaltje van weggegeven. De verzamelde journalisten waren duidelijk stomverbaasd geweest, in de war zelfs, over zijn meesterlijke beheersing van de taal. De meeste mensen in Europa verstonden tenminste een beetje Engels en indien ze dat niet deden, dan moesten ze het maar doen met ondertitels of een commentaarstem. Het concept op zich stond echter als een huis, zo hervatte hij zijn verhaal in rad Italiaans tegen de pers toen hij weer binnenzeilde in de door Delia geboekte grote zaal.

'Voor ons Italianen is koken niet iets dat op zichzelf staat. Het is niet zomaar een vaardigheid of een vak; het is het leven zelf! Dit begrijpen buitenlanders niet. Jullie eten iets, onverschillig wat, om in leven te blijven. Jullie slokken jullie smerige maaltijden op als een stel neolithische wilden in een grot! Voor ons Italianen ligt het heel anders. Wanneer wij *un piatto autentico* scheppen, *genuino e tipico*, is dat niet om onze lichamelijke honger te stillen. Nee! Wij willen met eten heel Italië in ons opnemen, zijn geschiedenis, zijn cultuur, zijn taal, zijn weergaloze steden en landschappen. Wij willen het hart en de ziel absorberen van dit aardse paradijs dat ons geboorteland is! Voor jullie, barbaren, is voedsel louter een stoffelijk iets, zoveel calorieën en grammen vet, zoveel vitamine C en vezels. Voor ons is dit heiligschennis! Voor ons Italianen is dineren als het ontvangen van de heilige communie, het proeven van het lichaam en het bloed van onze heilige cultuur die wij consumeren tijdens deze dagelijkse, huiselijke mis!'

Rinaldo capituleerde voor zijn hem nimmer bedriegende instinct om de emoties van zijn publiek aan te voelen en barstte los in een geheel eigen vertolking van Verdi's *'Va, pensiero'*. Midden in een zin hield hij plotseling op. Zijn gezicht betrok.

'Let wel, het is niet altijd makkelijk voor me geweest. Integendeel! Mijn vijanden zeggen dat ik dit alleen doe voor het geld, de roem, de vrouwen, de snelle auto's, de jetsetlevensstijl. En natuurlijk heb ik, net zoals ieder ander getalenteerd en geslaagd mens in dit land, vele vijanden. Alleen maar vijanden, zou men kunnen zeggen. Allemaal zijn ze eropuit om me te pakken! Jullie, domme buitenlanders, bezoeken Italië en denken: Mooie villa's, beeldschoon landschap, fantastische kunst, keuken en cultuur; een waarlijk beschaafd land, een aards paradijs. Blinde dwazen die jullie zijn! Jullie zien alleen het mooie gezicht en hebben niet het benul om te beseffen dat deze stinkende natie niet meer is dan een opgezwollen lijk, wiens schijnbare tekens van leven alleen maar aantonen dat binnenin de maden al druk doende zijn! Paradijs, mijn reet! Eerder een derdewereldkot, bewoond door kwaadaardige, afgunstige zwijnen die maar één ding willen en dat is proberen om mij te verlagen tot hun eigen ellendige niveau van onbeduidendheid!'

Gedurende enkele seconden haalde hij diep adem en vervolgens lachte hij iedereen die rond de tafel zat toe als om daarmee de absolute zinloosheid van een dergelijk streven aan te geven.

'En nu heeft professor Edgardo Ugo het lef om te suggereren dat ik niet kan koken! Ha, ha, ha, ha, ha! Wat voor verstand heeft hij helemaal van Italiaans eten en de Italiaanse cultuur? Hij heeft zo lang opgesloten gezeten met zijn schimmelige boeken dat hij niet beter is dan jullie, buitenlanders! En hij daagt míj uit om mezelf te bewijzen? Laat me niet lachen! Hij leeft in een ivoren toren, zoals alle academici. Hij geeft niet om het *bel paese,* maar ík, ik heb het lief met heel mijn lichaam en ziel. Daarom wijd ik mijn leven aan het voor de mensen toegankelijk maken van de onvergetelijke meesterwerken van onze Italiaanse keuken, opdat onze lange, trotse, ononderbroken traditie nog gedurende vele toekomstige generaties mag voortbestaan!'

Totaal ongeveinsd barstte hij in tranen uit. Diverse journalisten begonnen hun spullen bij elkaar te pakken en naar de deur te blikken.

'Bij hem is het een en al hoofd en niet het hart!' vervolgde Lo Chef, die zich niet schaamde voor zijn achtenswaardige emotie en openlijk zijn tranen droogde. 'Hij is een denker, maar Romano Rinaldi is een minnaar! IK KOOK MET MIJN PIK!!'

Delia, die iedere poging om deze toespraak te vertalen allang had opgegeven, was druk aan de praat met de vertrekkende journalisten. Rinaldi voelde de heersende stemming aan en schakelde moeiteloos over op zijn perfecte Engels.

'Ugo waagt ruzie mij? Nou!!! Gauw krijgt hij zijn behoefte! Dit bastaard zegt, ik weet klote niets, maar hij is in vergissing, mijn vrienden. Morgen demonstreer ik voor eens en voor altijd aan u hier, aan mijn publiek en aan de hele wereld, dat ik KLOTE ALLES weet!!!'

In de lobby ging Rinaldi, onder het wakend oog van Delia, onverdroten voort met het bewerken van de pers.

'Wat doe ik nu?' antwoordde hij op een niet gestelde vraag. 'Ik loop! Ik adem de lucht in, ik meng me onder de mensen, ik absorbeer de ongeëvenaarde cultuur van Italië die overal voor het oprapen ligt en ik laat me inspireren voor de wedstrijd van morgen. *Buona notte a tutti!*'

Hij wandelde de straat op, sloeg enkele keren een willekeurige hoek om, stak toen de Via Rizzoli over, liep verder door de indrukwekkende negentiende-eeuwse zuilengangen, waar hij het nasale gejammer van een ineengedoken bedelaar negeerde, en ging met grote passen een deur door onder een neonreclame met twee gele bogen.

'Doe mij een Big Tasty, een McRoyal Deluxe, een Crispy

McBacon en vijf grote frites,' zei hij tegen het meisje achter de balie.

'Is dat voor hier of om mee te nemen?'

'Om mee te nemen, om mee te nemen!'

'Dus kennelijk is het hele gedoe doorgestoken kaart! Het is zogenaamd een open wedstrijd, gevolgd door onpartijdig, blind proeven, maar de jury is gemanipuleerd. Ze weten in welke schaal het eten van Lo Chef zit en dan kiezen ze dat, hoe het ook smaakt. Ik vrees dus dat jouw professor Ugo verliest.'

Luisterend naar het gebabbel van Flavia, wilde Rodolfo dat hij meer van zijn gevoel van macht kon genieten. Moordenaars hoorden dat te doen, volgens iedereen. Dat was wat het allemaal de moeite waard maakte.

'Hij verliest sowieso.'

Zijn gevonniste vriendin had haar hele pizza al verorberd, de korst incluis, en viel nu aan op een forse plak van een van de *semifreddo* taarten uit de vitrinekoeling bij de deur.

'Bovendien is Lo Chef vooraf op de hoogte gesteld van de lijst met ingrediënten,' praatte ze verder, in zalige onwetendheid van haar dreigende lot. 'Hij heeft al een recept gekozen en het eindeloos geoefend, precies zoals mijn zuster op het conservatorium deed met haar examenpianostukken. Maar daar kregen ze ook altijd een stuk dat ze nooit eerder gezien hadden.'

Rodolfo keek op van de pizzapunt waarvan hij langer chagrijnig had zitten peuzelen dan ervoor nodig was geweest om hem te maken.

'Ik wist niet dat je zuster pianiste was,' merkte hij geaffecteerd lijzig op. 'Doet ze er iets mee?'

'Pardon?'

'Je weet wel, of ze een carrière heeft. Zoiets als een baan, alleen met meer glamour.'

Eindelijk was het te merken dat Flavia toch wel aanvoelde dat er iets fout zat, hoewel ze zich natuurlijk in haar wildste dromen niet zou kunnen voorstellen dat ze straks door het hart geschoten werd.

'Ik weet het niet,' antwoordde ze op haar hoede. 'We zijn elkaar wat uit het oog verloren.'

'Je maakt je toch altijd zorgen over die creatievelingen. Het meisje wil meer dan ze kan; of is het andersom? Enorme dromen die als een zeepbel uit elkaar spatten, de genadeloze bewustwording van de harde realiteiten des levens en meer van zulke onzin.'

Flavia trok een pruilmondje dat hij gekust zou hebben, ware het niet dat het tijd werd om de trekker over te halen om dat achter de rug te hebben.

'Voor mijn volk is dit normaal,' zei ze.

De kelner verscheen met een etiketloze literfles en twee glazen, die helemaal berijpt uit de ijskast kwamen. Dit was eigengemaakte likeur, een specialiteit van La Carrozza, pure alcohol op smaak gemaakt met een mengsel van wilde bessen, citroen en kruiden, die op de tafel werd neergezet zonder op de rekening te komen, een traditie van het huis voor vaste klanten. Het bovenste tweederde deel van de inhoud was heel licht rozeachtig paars, terwijl het moeras van gezwollen, weke bessen zich in het onderste deel bevond.

'Heb jij broers of zussen?' vroeg Flavia. 'Je praat nooit over je familie.'

Rodolfo schonk voor hen allebei in en sloeg zijn likeur achterover om moed te scheppen.

'Alleen een vader. Hij belde me vandaag op en we hebben veel gepraat, voor het eerst in tijden. Misschien wel voor het allereerst.'

Flavia glimlachte hartelijk.

'Dat is fijn. Waarover spraken jullie?'

'Mislukking. Professor Ugo heeft me vanmorgen uit zijn cursus getrapt. Maar ik heb bedacht dat hij me daarmee zonder het zelf te weten een dienst heeft bewezen. Mislukking is de sleutel tot alles. Dat is wat die postmoderne rukkers niet beseffen, of niet willen accepteren. Voor hen is alles betrekkelijk. Mislukking bestaat helemaal niet, er bestaan alleen alternatieve interpretaties. Het draait allemaal om geestestoestand. Ik geloofde die onzin zelf ook een poosje, maar mijn ogen zijn nu geopend. Maar ik ben absoluut mislukt. Jammer van mijn academische carrière, jammer van jou, maar het is niet anders. Ik moet alleen nog een paar dingen afhandelen – dit was daar een van, trouwens – en dan ga ik naar huis.'

Flavia nam een slokje likeur.

'Ach, huis,' zei ze.

'Ja, maar mijn thuis bestaat echt. Anders dan dat van anderen.'

Flavia dronk haar glas tot op de bodem leeg, schonk zichzelf onmiddellijk opnieuw in en stak daarna een sigaret op. Ze zat zwijgend te roken, keek om zich heen naar de andere klanten, naar de forse *padrone* die de pizza's maakte, de twee kelners die eruitzagen als het Amerikaanse stommefilmduo.

'Ik moest vandaag naar de universiteitsbibliotheek om wat boeken terug te brengen die over tijd waren,' zei Rodolfo op vlakke toon. 'Ik heb de gelegenheid te baat genomen om de index te raadplegen van de allerlaatste editie van de Times-atlas. Geen Ruritanië.'

Nog steeds zonder haar in de ogen te kijken, pauzeerde hij, maar er kwam geen reactie.

'Dus toen heb ik daar op een computer op internet gezocht. Kennelijk is het de naam van een fictief land, verzonnen door een onbeduidende Engelse schrijver als de plaats van handeling van een melodramatisch, romantisch pulpverhaal. Sterker nog, van het boek dat je las toen we elkaar voor het eerst ontmoetten. Wat jij je "Italiaanse leerboek" noemde. Maar de kwestie is dat Ruritanië niet bestaat.'

Flavia's ogen vulden zich met tranen en ze boog haar gezicht naar het smerige tafelkleed.

'Het bestaat wel. Het bestaat, het bestaat!'

Rodolfo glimlachte superieur en haalde zijn schouders op.

'Als jij het zegt. Men zou natuurlijk kunnen zeggen dat je gek bent, maar ik verkies aan te nemen dat je aldoor gewoon tegen me gelogen hebt. En ik stel het niet op prijs als mensen tegen me liegen.'

Hij legde een paar bankbiljetten op tafel.

'Ik moet nu gaan. Morgen is een grote dag voor me. Dit zal wel genoeg zijn voor de maaltijd en een kop koffie, mocht je daar trek in hebben. *Addio.*'

De volgende ochtend besloot Zen huize Amadori binnen te vallen. Althans zo noemde hij het gekscherend voor zichzelf, bij een kop koffie en de knapperige, gefrituurde wafels, *sfrappole*, in een bar aan de Via D'Azeglio, vrijwel tegenover zijn hotel.

Het hotelontbijt was een oninspirerende concessie gebleken aan Noord-Europese zakenmensen die naar de beroemde beurzen in Bologna kwamen en verwachtten de dag te beginnen met een keur van kazen, vleeswaren en hardgekookte eieren, die weggespoeld werden met waterige koffie of thee. Daarmee vergeleken was Il Gran Bar bijna agressief monocultureel. De espresso was eersteklas en er werd een glas koolzuurhoudend mineraalwater van de zaak bij geserveerd. De taartjes waren met de hand gemaakt en vers, de kelners waren onberispelijk attent, de clientèle goedgekleed en zacht van stemgeluid. Wat er echter het meest opviel, waren de aan de muren bevestigde decoratieve plaquettes en vlaggen, elk met het embleem van een eenheid van de anti-terroristische DIGOS-brigade en andere elite-eenheden van de Polizia di Stato. In de context van het historisch 'rode' Bologna was de boodschap duidelijk: dit was een schaamteloos rechts etablissement in het rijke, 'zwarte' gebied ten zuiden van het Piazza Nettuno, gerieflijk nabij het hoofdbureau van politie en de *Prefettura*, veeleer bastions van staatsmacht dan van lokale macht.

Zen vertegenwoordigde die macht natuurlijk en hij vond het idee amusant om hem voor het eerst in maanden weer eens een beetje te gebruiken. Na zijn bezoek aan het voetbalstadion met Bruno Nanni bracht hij in zijn eentje een saaie mistroostig makende avond door – ongetwijfeld de eerste van vele – die gevolgd werd door een onrustige nacht waarin hij vluchtig het geschreven rapport over de zaak-Curti doornam, waarmee Salvatore Brunetti hem tamelijk onbeschaamd had getracht af te schepen. Dit werd hem duidelijk door wat de Bolognese politieman hem bij hun afscheid zei. 'Ik moet echt de tijd zien te vinden om de mogelijkheid te onderzoeken of we u niet een geschikte werkkamer kunnen toewijzen, dottor Zen. Op dit ogenblik is er absoluut niets beschikbaar. Hiervoor mijn excuses, maar uw overplaatsing naar hier kwam erg onverwacht. Alle verloven zijn uiteraard ingetrokken en het voltallige personeel werkt in drie ploegen de klok rond, dus de situatie is ietwat moeilijk. Ik hoop dat u daar begrip voor heeft.'

Zen begreep het helemaal en onder normale omstandigheden zou hij het prima hebben gevonden om in de luwte te blijven en zich koest te houden tot de eerste opwinding over Curti bedaard was. Maar de omstandigheden waren niet langer normaal, daaraan was hij vannacht op sprekende en onrustbarende wijze herinnerd. Toen hij in zijn spullen rommelde, op zoek naar de overvloedige verscheidenheid van pillen die hij verondersteld werd een wisselend aantal keren per etmaal in te nemen, ontdekte hij een enveloppe die de specialist hem tijdens zijn bezoek aan Rome had overhandigd met de toelichting dat de inhoud betrekking had op Zens behandeling en dat hij hem 'wellicht interessant zou vinden'.

Met het gevoel dat het wel eens veel te interessant kon blijken in zijn huidige geestesgesteldheid of beter gezegd zijn toestand van geesteloosheid, vergat Zen de enveloppe toen prompt, tot ze opdook uit een zijvak van de aktetas waarin hij zijn voorraad medicijnen had ingepakt. In de hoop de vage angsten die hem bleven achtervolgen te verjagen, maakte hij haar open en begon het ingesloten document te lezen, een technisch verslag van zijn operatie. Dit nu was een vergissing gebleken. In een mum voelde hij zich opnieuw gereduceerd tot weerloos object; een versleten, afgeragde machine, toevertrouwd aan de monteurs voor een kleine onderhoudsbeurt.

'... zachte weefsels werden weggesneden en aan alle kanten van het genecrotiseerde weefsel werden de fascia blootgelegd... vervolgens werd een scalpel 11 gebruikt voor een incisie op het grensvlak... en er werd een plaats gekozen distaal van het aangetaste gebied, het mesenterium schoongemaakt grenzend aan... welk specimen naar de patholoog is gestuurd... het werd niet verstandig geacht een netje te gebruiken voor de reparatie van het mankement en... bloedverlies tijdens de ingreep was... correcte telling van wondgaas, naalden en instrumenten en de patiënt doorstond de ingreep zeer goed...'

De rest van de nacht verging het hem beroerd en het plan om een bezoekje aan huize Amadori te brengen ontstond grotendeels omdat hij zo zijn gevoel van daadkracht en bekwaamheid probeerde te herwinnen. Weliswaar had hij Salvatore Brunetti verzekerd dat hij geen actieve rol zou spelen in de zaak-Curti en louter zou fungeren als contactpersoon met het ministerie in Rome, maar de rechercheurs van de questura onderzochten blijkbaar de Vincenzo Amadori-hypothese niet – hetzij omdat ze er niet van op de hoogte waren, hetzij omdat ze het hadden afgedaan als stadiongeouwehoer – en om die reden voelde Zen zich gerechtigd tot het zelf plegen van een bescheiden vooronderzoek. Daarnaast moest hij zien te ontsnappen aan zijn aardige doch erg kleine hotelkamer, waarvan het hoge plafond bizar buiten proportie was in verhouding tot de andere afmetingen wegens de geïnterpoleerde badkamer. Deze boodschap gaf hem in elk geval een doel en de schijn van een excuus.

Na het ontbijt liep hij de straat uit en de lege, geplaveide uitgestrektheid van het grootste plein in de stad op. Aan dit plein stond de saaie, roodbakstenen massa van de kathedraal, die uittorende boven zijn nooit voltooide marmeren deklaag; het bescheiden maar goed gebouwde Palazzo del Potestà; het overdadige Palazzo De'Banchi waar dure winkels op de loer lagen onder een imposante zuilengang; en de strenge middeleeuwse façade van het Palazzo Communale, waarvan het oorspronkelijke delicate evenwicht verstoord was door een monumentaal barok uitgroeisel, neergezet ter ere van een van de vele pausen die in de loop der eeuwen de stadsschatkist hadden leeggezogen. Met geen van deze gebouwen was echt iets mis, maar met zijn Venetiaans snobisme zag Zen ze als niet goed genoeg. Het leek alsof de enorme ruimte aanspraken maakte die niet gerechtvaardigd werden door het niveau van de afzonderlijke bouwwerken.

De temperatuur was nog steeds onder nul en hij liep stevig door tot hij een doolhof van smalle straatjes bereikte, die onmiskenbaar al sedert eeuwen de grootste markt van de stad was. Het was er erg druk met handelaren en hun klanten, merendeels korte, stevige, oudere vrouwen gehuld in utilitaristische bontjassen waaruit hun hoofd en benen staken als stompe aanhangsels, waardoor het beeld werd gewekt van evenzovele pluizige cocons. Zens zelfvoldaanheid vervloog subiet bij het zien van de veelheid van winkeltjes aan weerskanten van de straat, waarin een duizelingwekkende sortering fruit, groente, kaas en vers vlees lag uitgestald, oneindig veel verleidelijker dan wat zijn eigen geboortestad of zelfs Lucca te bieden had. Na weken van op een zeer beperkt dieet staan oefenden de aangeboden heerlijkheden een bijna seksuele aantrekkingskracht uit, en dit wekte in Zen een ongeduldig verlangen naar de lunch.

Gelukkig was de venter die dozen Siciliaanse bloedsinaasappels naar de trottoirband duwde sterk, behendig en vlug van geest, dus toen de signore die tot dan doelgericht voortstapte door de straat plotseling bleef stilstaan, precies op de plek waar hij de zware kar had willen neerzetten, was hij in staat om hem net ver genoeg te laten uitzwenken om een botsing te voorkomen, die anders wellicht een interessante gelegenheid had geboden om het sap van de sinaasappels te vergelijken met de vloeistof waarnaar ze waren genoemd.

Zen week snel uit, zich gewoontegetrouw verontschuldigend, hoewel zijn gedachten elders verkeerden. 'Kom morgen naar bo lunch?' Hij zette zijn telefoon aan. Hun telefoon thuis werd niet opgenomen, maar Gemma nam haar mobiel op na tien keer overgaan.

'Kan nu niet praten. We gaan net de zaal binnen.'

Haar stem was een vage graffito, gekrast op een betonnen muur van lawaai.

'Ik heb geprobeerd te bellen!' slingerde Zen terug. 'Probeerde het een paar keer, maar er werd niet opgenomen!' Hij wachtte erop dat ze hem van de zoveelste flagrante leugen zou betichten, maar hij hoorde alleen het achtergrondrumoer. In werkelijkheid had hij na die eerste poging in het café buiten het voetbalstadion helemaal niet meer geprobeerd om Gemma te bereiken naar aanleiding van haar sms aan hem. Hij had zelfs niet eens onthouden dat hij moest verzuimen om dit te doen.

'Het begint zo dadelijk, ik bel je later,' meende hij iemand te hebben horen zeggen voordat er werd opgehangen.

Het huis van de Amadori's, waarvan Zen het adres eerder uit het archief op de questura had overgenomen, lag in een stille straat ten westen van de twee middeleeuwse torens, waarvan er een griezelig uit het lood stond, die tot de beroemdste historische monumenten van de stad behoorden. De trottoirs lagen er ongeveer een halve meter boven het niveau van de rijweg en werden tegen de elementen beschermd door oneindig gevarieerde maar toch met elkaar harmoniërende *portici*. Het huis zelf oogde van buiten zeker niet opzichtig en het vormde charmant en discreet één geheel met de zacht gebogen lijn van het hele blok, maar evengoed droeg het zijn eigen variant bij tot het onderliggende architecturale thema. Het was ongetwijfeld dik een miljoen euro waard.

Bruno Nanni had Amadori sr. advocaat genoemd, en het was een buitengewoon onvoorzichtige politiefunctionaris die onaangekondigd langsging bij een dergelijk man zonder een uitstekend voorwendsel te hebben, maar liever nog met een gerechtelijk bevelschrift. Om die reden had Zen zijn 'inval' zorgvuldig uitgedacht. Vanzelfsprekend zou hij met geen woord reppen van Lorenzo Curti, behalve als zijnde het onderwerp van de herdenkingsbijeenkomst in het voetbalstadion de vorige avond, na afloop waarvan Zen was mishandeld en uitgescholden door een jongeman die werd geïdentificeerd als Vincenzo Amadori. Op dit moment voelde hij niet het verlangen hem aan te klagen of het incident anderszins op te blazen, maar achtte hij het beter dat Vincenzo's ouders op de hoogte werden gesteld zodat zij maatregelen konden nemen die zij als passend beschouwden. Op zijn minst zou het interessant zijn om te zien hoe en óf er op deze beschuldigingen werd gereageerd.

De voordeur werd opengedaan door een vrouw van een jaar of zestig, op haar hoede maar zeker niet bang. Ze droeg een gesteven, witte blouse over een op een ingewikkelde technische constructie gelijkende brassière en een gingang schort en had roze rubberhandschoenen aan. Zen legitimeerde zich met zijn politiekaart en vroeg of dottor Amadori hem kon ontvangen.

'L'avvocato is niet thuis,' antwoordde de vrouw.

'Weet u misschien wanneer hij terug zal zijn?'

'Dat kan ik niet met zekerheid zeggen. Hij is weg voor zaken. U zou het op het kantoor moeten vragen.'

'En de signora?'

'Ook niet thuis.'

Zen glimlachte, vriendelijk, maar toch met een zweem van beroepsmatige kilheid.

'Voor niemand? Of alleen niet voor de politie?'

De werkster keek lichtelijk beledigd.

'Waar gaat dit over?' vroeg ze.

'Een persoonlijke kwestie. Ik moet dringend met iemand uit het gezin spreken. En de zoon, Vincenzo, kan dat dan?'

Een hoofdschudden.

'Die woont hier niet meer.'

'Waar woont hij dan?'

De vrouw haalde haar schouders op, op een manier die suggereerde dat het bespottelijk was om daar zelfs maar naar te vragen.

'Signora Amadori is over een uurtje terug.'
Zen knikte.
'Zou ik op haar kunnen wachten, denkt u? Het is gewoon een routinekwestie, maar we moeten het toch zo snel mogelijk afhandelen, en ik ben drukbezet. Nu ik hier toch al ben...'
Hij gebaarde expressief. De hulp aarzelde heel even, daarna deed ze de deur helemaal open en wenkte hem over de drempel te komen.
Vanaf de straat had het huis er – net zoals zijn engelbewaarster – aangenaam eenvoudig en gewoon uitgezien, met de stille waardigheid van oude mensen die niet langer iets kunnen of zo nodig moeten bewijzen. Het interieur daarentegen was ergens eind achttiende of begin negentiende eeuw vernieuwd, zodat men bij binnenkomst onmiddellijk doch haast onmerkbaar een ruimte betrad die niet alleen bewustzijn toonde van haar geschiedenis en plaats in het wereldplan, maar ook een tikkeltje eleganter en formeler was. De huidige eigenaars hadden de eenvoud en harmonie ervan gerespecteerd en er hingen slechts enkele inmiddels niet meer zo moderne olieverfschilderijen aan de voor het overige weloverwogen neutraal gehouden muren.
'Deze kant op, signore,' zei de werkster, die ondertussen haar werkhandschoenen afstroopte.
Ze ging hem voor op een steile trap met marmeren, uitgesleten treden, met aan weerskanten een fraaie gietijzeren leuning met spijlen. Op de overloop van de eerste verdieping kwamen drie deuren uit. Zen werd binnengelaten in wat niet anders kon zijn dan de formele *salotto*, aan de voorzijde van het huis, die bij zeldzame gelegenheden gebruikt werd als indrukwekkende maar onpersoonlijke 'ontvangstkamer'. Hij was groot, met een plafond dat hoger was dan dat van Zens hok in het hotel, en ingericht met het type 'moderne' meubels uit de jaren zeventig, eerder bedoeld om te bewonderen dan om er comfort aan te beleven. Ook was het er bitter koud.
'Wilt u een kopje koffie?' vroeg de vrouw.

Zen dacht hier even over na alvorens haar zijn warmste glimlach te schenken.

'Dat is erg vriendelijk van u, signora. Als het niet te veel moeite is, graag. Zou u het erg vinden als ik naar beneden kwam en het bij u in de keuken opdronk?'

Hij lachte alsof hij zich een beetje geneerde.

'Deze kamer is wat kil, en op mijn leeftijd...'

'Uh, de verwarming is hier altijd uit, tenzij er gasten zijn. Ja, natuurlijk, signore, komt u mee naar beneden. Het is niet zo voornaam als hier, maar u zult daar behaaglijk zitten en ik dien u wel aan zodra signora Amadori terug is.'

Ze liepen samen naar de trap die, zoals Zen daareven had opgemerkt, van oud, zeer versleten marmer was, en geboend tot hij glansde. Hij stond erop dat zijn metgezellin vooropging en ongeveer halverwege zette hij een uitermate gecontroleerde achterwaartse val in scène, die hij vergezeld liet gaan van een indrukwekkende en overtuigende schreeuw van pijn.

De werkster draaide zich met een ontzette blik in haar ogen om.

'Jezus, Maria en Jozef!'

Ze liep omhoog naar waar Zen lag en boog zich bekommerd over hem heen.

Hij kreunde en steunde wat en kwam toen glimlachend wankel overeind, met de houding van iemand die dapper doet alsof een schokkende belevenis niets voorstelt. Pijn fingeren ging hem makkelijk af na de stoomcursus echte pijn die hem nog zo vers in het geheugen lag.

'Gaat het een beetje?' riep de *donna* uit.

'Niets gebroken!' antwoordde Zen, in een doorzichtige maar fiere poging tot montere humor. 'Het komt zo weer goed! Maar...'

Hij keek haar in de ogen.

'Hoe heet u, signora?'

'Carlotta.'

'Zou je me een arm willen geven tot onder aan de trap, Carlotta?'

'Natuurlijk, natuurlijk!'

'Verontrustend, hoor, als je zomaar ineens je evenwicht verliest. Zet je toch aan het denken over de dag dat je ook al het andere verliest, hè?'

'Hmm!'

Getweeën liepen ze voorzichtig omlaag, trede voor trede. Aan de voet van de trap trok Zen zijn arm niet terug, en evenmin liet Carlotta hem los. Op de begane grond schuifelden ze naar een openstaande deur aan het eind van de gang en betraden een flauw verlichte, lage ruimte, waar het warm was en van geuren vervuld. Carlotta liet Zen even alleen staan. Ze trok een stoel dichterbij en hielp hem er voorzichtig in.

'Blijft u maar lekker zitten,' spoorde ze hem aan. 'Dan ga ik een tonicum maken. Daarvan zult u zich een stuk beter voelen.'

Ze was druk in de weer in de keuken, deed kasten open, pakte opbergbussen, mat ingrediënten af en vervolgens begon ze te schenken, te malen en te roeren. Carlotta's domein was evident het enig overgebleven authentieke gedeelte van het huis, gespaard door de kostenfactor – bedienden hoefden niet geïmponeerd te worden – bij de opwaarts mobiele renovaties van een eeuw of twee geleden. Hoewel brandschoon, oogde ieder oppervlak versleten, oneffen en onvolmaakt. En op de een of andere manier leek elk een grotere dichtheid te hebben dan de feitelijke soortelijke massa ervan. Ongetwijfeld was dat ene peertje van vijftig watt door haar werkgevers opgelegd vanuit dezelfde zuinigheidsoverwegingen die de keuken onaangetast hadden gelaten. Maar de lieflijke charme van zijn zachte gloed, die werd weerkaatst door de versleten plavuizen, was kostelijk.

'Wat is dit?' vroeg Zen, toen Carlotta hem ten slotte een bekerglas met een bruinachtige vloeistof bracht.

'Gewoon opdrinken. Maar wel in één slok.'

Dat is wat hij deed. Toen de eerste schok van de alcohol eenmaal voorbij was, kon hij vagelijk de smaak van nootmuskaat, sinaasappelschil, cardamom en rauwe knoflook onderscheiden. Hij knikte een paar keer en gaf haar toen met een stralend gezicht het glas terug.

'Je bent een mirakel, Carlotta!'

'Als u nog vijf minuten blijft zitten waar u zit, voelt u zich weer helemaal het heertje.'

Terwijl ze het glas naar de gootsteen droeg, schudde ze zorgelijk haar hoofd. 'Ik verwijt het mezelf! Moet u nagaan, pas vijf minuten voordat u aanbelde had ik die trap geboend.'

'Nee, nee, nee!' zei Zen. 'Het was helemaal mijn eigen schuld. Ik keek niet waar ik liep. En die oude leren zolen van mijn schoenen zijn zo glad als...'

Hun steeds vertrouwder wordende conversatie – Zen begon te denken dat hij voor zijn vertrek misschien nog wat interessante informatie van Carlotta kon loskrijgen – werd onderbroken door een droge, metalige klik in de resonerende verte.

'Dat zal de signora zijn,' verklaarde de hulp. 'U blijft hier. Ik zal haar installeren en daarna kondig ik u aan alsof u net gearriveerd bent.'

Ze ging naar de hal, vanwaar een duet van stemmen kwam aandrijven naar waar Zen passief zat te wachten. Die van Carlotta herkende hij. De pas aangekomene klonk inderdaad als een vrouw, maar er zat een krachteloze, klagerige toon in de stem die niet goed paste bij het beeld van signora Amadori dat Zen zich in zijn hoofd van haar had gevormd. Telkens zwol het geluid van de woorden aan om dan weer af te nemen als stond er een dwarrelwind, maar ze klonken steeds harder en dichterbij, tot Carlotta terugkeerde in de keuken in het gezelschap van een jonge man, die Zen niet onmiddellijk herkende.

'Nou, dat had je me dan maar moeten zeggen!' zei de werkster. 'Hoe kon ik nu weten dat jij een bloedneus hebt gehad? Ik nam aan dat het een wijnvlek was. Als jij me had verteld dat het bloed was, zou ik het natuurlijk niet in heet water hebben gewassen, maar hoe kon ik dat weten?'

'Je had het kunnen vragen!'

'Sla niet zo'n toon tegen me aan, Vincenzo! Ik heb je luiers nog gewassen, en je modieuze overhemdjes ook. Als je zo pietluttig wordt, breng je je spullen voortaan maar naar een wasserij.'

Ze hield haar mond toen ze zich ervan bewust werd dat Vincenzo de aanwezigheid van de politieman had opgemerkt, maar niet op een tevredenstellende oplossing leek te kunnen komen voor dit onverwachte sociale raadsel.

'Wat doet u hier?' vroeg Vincenzo op hoge toon, terwijl hij dreigend op Zen af kwam.

Zijn bedoelingen waren duidelijk zat, maar met zijn volvoering ging hij de mist in. Zijn stemgeluid was nog doende om over te gaan van de klaaglijke jammertoon die hij tegen de huishoudster had gebezigd naar het stoere gebalk van de stadionheld en toen hij Zens stoel bereikte bleef hij stokstijf staan, klaarblijkelijk niet goed wetend hoe hij het nu verder moest aanpakken.

Zen negeerde hem en stond op. 'Dat medicijn van jou heeft echt gewerkt,' zei hij tegen Carlotta. 'Ik voel me zelfs beter dan toen ik aankwam!'

Vincenzo draaide zich razendsnel om naar de bejaarde donna.

'Wat moet hij hier? Wat is hier verdomme aan de hand?'

'Wil jij wel eens op je woorden letten!' berispte Carlotta hem op scherpe toon. 'Wat een taalgebruik, en dat in aanwezigheid van een gast in het huis van je ouders!'

Zen keek op zijn horloge.

'Het begint ernaar uit te zien dat signora Amadori zich heeft verlaat, en er zijn andere zaken die mijn aandacht behoeven. De kwestie waarvoor ik kwam is niet zeer dringend.'

'Effe wachten, jij!' schreeuwde Vincenzo agressief, hoewel hij op veilige afstand bleef. Carlotta, die er natuurlijk helemaal niets van begreep, stond van de een naar de ander te kijken. Zen grijnsde kwajongensachtig naar haar.

'Eigenlijk is het misschien beter als je helemaal niet vertelt dat ik langs ben geweest,' zei hij op samenzweerderige toon. 'Je weet toch hoe juristen zijn. Als avvocato Amadori hoort dat ik gevallen ben op die gladde trap, heeft hij mis-schien slapeloze nachten omdat hij zich zorgen maakt dat ik hem een proces ga aandoen.'

'Ho, ho, zo makkelijk kom jij er niet vanaf...' stak Vincenzo van wal.

'En wat jou aangaat,' schreeuwde Zen, die hem voor het eerst een blik waardig keurde, 'behandel jij je moeder eens met wat meer respect!'

Vincenzo en Carlotta antwoordden hem in koor.

'Ze is mijn moeder niet!'

'Hij is mijn zoon niet!'

Zen zuchtte, waarna hij helemaal verbijsterd het hoofd schudde en de keuken uit liep.

Gemma Santini bereikte het beurs- en congrescentrum van Bologna veertig minuten voor aanvang van het evenement, in de veronderstelling dat dit haar ruimschoots de tijd gaf om haar gereserveerde toegangsbewijs af te halen en haar plaats in te nemen. Ze had het mis.

Bij de rij met kassa's stonden mensen samengetroept, van wie sommigen de stellige indruk wekten daar de hele nacht te hebben gestaan. De meesten wachtten min of meer gedisciplineerd hun beurt af voor het streng gelimiteerde aantal vrijkaarten dat werd uitgedeeld om de zaal bomvol te krijgen, maar er waren er ook een paar die hun toevlucht namen tot wat Gemma de Napolitaanse-opoetactiek noemde en zij schreeuwden hun behoeften, eisen en bijzondere omstandigheden naar de suppoost in de hoop dat hun gegeven werd wat ze wilden, al was het maar om ze hun kop te laten houden en ze daar weg te werken.

Zodra Gemma hoorde van de kookwedstrijd tussen haar favoriete televisiepersoonlijkheid en de ontzagwekkende Edgardo Ugo, die gehouden werd in de stad waar ze toch al naar toe ging, moest ze aan Luigi Piergentili denken. Piergentili was inmiddels weliswaar het morele en fysieke wrak dat haar dierbare Aurelio zich inbeeldde te zijn, maar in zijn vroegere hoedanigheid van belangrijkste *consigliere* van de Monte dei Paschi Bank bezat hij in en buiten Toscane een macht die alleen onderdeed voor de macht die zekere inmiddels vergeten politici zich al evenzeer inbeeldden te hebben. Aan zijn eigen periode van macht kwam een einde – niet geheel en al toevallig, meenden sommigen – door een akelig ongeluk waarbij de dader doorreed en hij, het slachtoffer, uiteindelijk verslaafd raakte aan, zoals hij openlijk toegaf, een sterke, morfine bevattende pijnstiller. Helaas wilde uiteindelijk geen van de vele artsen die hij consulteerde doorgaan met het voorschrijven van dit medicijn en ze voerden hierbij bindende farmaceutische criteria aan, contra-indicatieve lange-termijngezondheidsrisico's en, bovenal, de vrees voor het verliezen van hun bevoegdheid om de geneeskunde uit te oefenen. Pas toen had signor Piergentili een beroep gedaan op Gemma.

Luigi was veel te leep om een beroep te doen op haar medelijden, of op haar omkoopbaarheid. In plaats daarvan had hij, met een sluwheid die Gemma bijna net zo waardeerde als de impliciete *delicatezza* ervan, bij een kopje thee in het Caffè di Simo gemompeld dat een vriend van hem, hoogleraar aan de Universiteit van Florence, zich tegenover hem had laten ontvallen dat Gemma's zoon Stefano daar technische wetenschappen studeerde.

'Hoe doet hij het?' vroeg Luigi daarop met een serene, Etruskische glimlach.

Opzienbarend slecht was het antwoord, maar de glimlach maakte duidelijk dat Luigi's vriend zich ook dat reeds had laten ontvallen. Even later werd een voor beide partijen voordelig verstandshuwelijk overeengekomen. Tot zover waren beide partijen elkaar trouw gebleven, maar na het cum laude afstuderen van Stefano was Gemma, hoewel terecht dankbaar voor de bemiddeling, de crediteur geworden binnen de relatie. De dag ervoor had ze er daarom geen moeite mee gehad Luigi op te bellen met de opdracht dat hij zijn netwerk maar eens moest inschakelen om een vrijkaartje voor haar te organiseren voor de culinaire krachtmeting tussen Lo Chef en Il Professore. Bij het krieken van de dag belde hij terug, na 'een zalige, droomloze nacht, dankzij jou, lieve', met het nieuws dat ze zich de volgende ochtend alleen maar hoefde te melden bij kassa 7 op het fiera-terrein in Bologna en dat het verder allemaal geregeld zou worden.

Voor zover je dat kon zeggen, bleek dit allemaal wel te

kloppen. Waar Gemma echter geen rekening mee had gehouden, waren de drommen mensen die afkwamen op dit unieke evenement. Wachten vond ze niet erg, maar evenals ieder ander besefte ze dat timing cruciaal was, aangezien het gebeuren rechtstreeks werd uitgezonden op televisie. Zodra de uitzending begon gingen de deuren op slot en zou zelfs Luigi's invloed niets meer baten.

Met een oordeelkundige elleboogstoot hier, een visachtig glijdende manoeuvre daar en heel wat ouderwets gehakketak bereikte ze ten slotte de drempel van de zaal, in de allerlaatste minuut dat het nog kon, en uitgerekend toen ging haar mobiele telefoon. Het was Aurelio, die over het een of ander wauwelde. Ze hield het erg kort en ging vervolgens met de andere laatkomers de arena binnen.

Er waren minstens vijfhonderd mensen aanwezig, schatte Gemma. Velen van hen liepen met naamspeldjes of met een naamplaatje aan een koordje om hun nek en waren druk in de weer met bandrecorders, camera's en notitieboekjes, maar er waren ook veel gewone burgers, die al sinds het aanbreken van de dag in de rij hadden gestaan om een kaartje te bemachtigen voor een wedstrijd waarover heel Italië sprak. Ze bleek een mooie plaats te hebben, ongeveer halverwege op de tribune, met prima zicht op beide keukens en de eetkamer in het midden.

Klokslag tien uur doofden de zaallichten en er kwam een man naar de rand van het podium gelopen – glimmende schoenen, strakke zwarte broek, een bedrukt zijden overhemd dat openstond tot aan de navel, waardoor men de gouden halsketting die in zijn indrukwekkende hoeveelheid borsthaar genesteld lag goed kon zien. Niet bijzonder verrast, behalve dan over het feit dat hij een stuk kleiner was dan ze hem zich had voorgesteld, herkende Gemma hem als de presentator van een variétéprogramma dat uitgezonden werd door dezelfde televisiezender als *Lo Chef Che Canta e Incanta*. Hij verwelkomde het publiek uitbundig om vervolgens de wedstrijd en de deelnemers in te leiden op de hem eigen bombastisch grollige manier. Het viel Gemma echter op dat toen hij eenmaal ter zake kwam, de tekst die hij duidelijk aflas van een scherm onder een van de camera's op het podium wel heel zorgvuldig geformuleerd was en welhaast zeker opgesteld in aanwezigheid van een team juristen dat beide partijen vertegenwoordigde.

Samengevat behelsde de tekst dat professor Edgardo Ugo, de bekende Bolognese academicus en wereldberoemde auteur, in zijn column in *Il Prospetto* onbedoeld iets geschreven had dat de achteloze of kwaadwillende lezer mogelijk ruimte had gegeven voor de interpretatie dat men mocht twijfelen aan het culinaire kunnen van Romano Rinaldi. Iets dergelijks was vanzelfsprekend in de verste verte niet professor Ugo's bedoeling geweest. Zijn opmerking was zuiver humoristisch en – het volgende woord leek de presentator voor enige problemen te stellen – metonymisch bedoeld en iedere letterlijke interpretatie ervan werd door hem zonder meer verworpen. Niettemin, om de kwestie eens en voor altijd uit de wereld te helpen en tevens als eerbetoon aan de glorie van de Italiaanse keuken en de prestigieuze Bolognese voedingsmiddelenbeurs, zouden de twee mannen elkaar nu 'als gelijke slaven boven een heet fornuis ontmoeten' (*lachpauze*) om definitief een punt te zetten achter elke wrijving waarvan men verkeerdelijk gemeend zou kunnen hebben dat deze was ontstaan.

'En nu een warm welkom voor...'

De presentator gebaarde naar de keuken links op het podium, terwijl Edgardo Ugo vanuit de coulissen opkwam. De professor droeg een tweed colbert Engelse stijl, een kaki corduroy broek, een gekreukt donkergroen overhemd en een daarmee vloekende geelgroene stropdas. Hij oogde alsof het hele evenement hem Siberisch liet. Het publiek applaudisseerde beleefd doch ingehouden.

'En in de andere hoek...'

In het witte uniform met de hoge koksmuts, waarin men hem kon uittekenen, kwam Lo Chef ontspannen en op zijn gemak het podium op, vol zelfvertrouwen wuivend en grijnzend naar het publiek. Het applaus was tumultueus en hield zo lang aan dat de presentator zich uiteindelijk gedwongen zag om stilte te verzoeken.

Vervolgens kwamen de juryleden in een rij binnen en voordat ze hun plaatsen innamen aan de eettafel in het middenstuk werden ze kort voorgesteld als zijnde toonaangevende koks, schrijvers van kookboeken en culinaire experts. Daarna begon de presentator de spelregels uit te leggen, waarop Gemma's belangstelling taande. Het ging alleen maar over eten en ze had helemaal geen honger, niet het minst omdat het haar deed denken aan Aurelio, die ze de avond ervoor in een vlaag van opgetogenheid dom genoeg had gebeld met wat neerkwam op een uitnodiging voor de lunch en impliciet een verzoening. Over beide voelde ze nu grote twijfels. En bovendien was ze voor het avondeten uitgenodigd door Stefano en Lidia, die gebrek aan eetlust van haar kant zouden ervaren als een persoonlijke belediging. Terwijl ze maar wat zat te bladeren in de brochure over de Enogast-beurs, die ze tegelijk met haar toegangsbewijs had gekregen, viel haar oog op een advertentie voor wat kennelijk een trendy snelbuffet was midden in het centrum. Ze sms'te de naam en het adres naar Aurelio. Dat was de oplossing, bedacht ze. Een nietszeggende ontmoeting, een snel hapje, *e poi via*.

Op het podium trok de presentator een gezicht waar ontzag en verwondering op lag en hij spreidde zijn armen.

'Laat de strijd nu beginnen!'

Gemma legde de glimbrochure neer en bekeek de twee zeer van elkaar verschillende deelnemers aandachtig. Aan de linkerzijde had Edgardo Ugo zich duidelijk neergelegd bij zijn onvermijdelijke nederlaag. Onder de felle tv-lampen sjokte hij in zijn duffe kledij verdoold rond in zijn keukendecor, als een parodie op de kleurloze, onhandige vrijgezel die zich afvroeg waar alles stond en waarmee aan te vangen.

Het contrast met Romano Rinaldi had niet schreeuwender kunnen zijn. Vanaf het allereerste moment was de hem toegewezen ruimte hem eigen, dat zag je zo. Hij wierp een vluchtige blik op het beeldscherm, deed toen snel het vuur aan onder een pan met water voor de pasta en richtte zijn aandacht vervolgens op de ingrediënten en de snijplank. Terwijl Ugo de toeschouwers en de camera's nadrukkelijk negeerde, ze aldoor de rug toekeerde en geen woord zei, maakte Lo Chef zijn publiek voortdurend het hof, hardop kletsend, nadenkend en grappen verkopend.

Opeens bleef hij toen stokstijf staan, als getroffen door spontane inspiratie.

'Ci vuole una cipolla!' verkondigde hij. 'Ik weet het! Hoe weet ik het? Omdat de ui me roept!'

Uitbarstend in *'Recondita armonia'* plensde hij een ruimhartige hoeveelheid van zijn eigen merk olijfolie in een pan en zette die op een hoog vuur. Het pastawater raakte inmiddels aan de kook. Nog altijd zingend en grijnzend deed hij de spaghetti erin en roerde die een beetje om met een houten lepel, alvorens een greep te doen naar een ui uit de collectie op het werkblad. Hij ontvelde en sneed hem, waarna hij zich theatraal omdraaide naar het publiek en naar het voorpodium liep.

'De ui heeft tot me gesproken,' zei hij zacht, zich zogenaamd de tranen uit zijn ogen vegend. 'En van wat hij zei, moet ik huilen.'

En zonder overgang barstte hij los in Donizetti's *'Una furtiva lagrima'*. In de tussentijd kookte de pan met pasta over, wat de rechterkant van het fornuis deed overstromen en de vlam doven.

Rinaldi bleek niet in staat de pit opnieuw aan te steken, herhaaldelijk losbeuken op de elektrische ontsteker ten spijt. Daarna zocht hij vergeefs naar lucifers. Ondertussen, aan de andere kant van het podium, sjokte Edgardo Ugo rond als een gekooide beer, want dat was de vergelijking die zich opdrong. Hij voegde nog iets toe aan de saus, hield de pasta in de gaten en legde een complete onverschilligheid aan den dag voor wat er elders wellicht gebeurde. Uiteindelijk kwam er een efficiënte vrouw van een jaar of dertig op een holletje Rinaldi's keukendecor binnen, zette de pastapan op een andere brander, ontstak de vlam en haastte zich het podium weer af. Lo Chef keerde zich om naar het publiek en lachte zijn tanden bloot boven zijn bebaarde kin.

'Heerlijk om een vrouw in de buurt te hebben!' verklaarde hij op bescheiden en tegelijk triomfantelijke toon. Het publiek barstte uit in lachen en applaus. Rinaldi honoreerde hun waardering voor zijn esprit en onverstoorbaarheid met een vertolking van de beroemde aria uit *Rigoletto*, waarbij hij de tekst veranderde in *'La donna è mobile, ma indispensabile'*. Dit bracht nog meer applaus teweeg. Met een perfect gevoel voor de stemming onder zijn publiek, zong hij het hele stuk uit en al zingend veranderde hij tekst of laste er wat in, tot hij eindigde met een hoge, lang aangehouden noot op de uiterste grens van zijn stembereik.

En precies op dat moment sloeg op het fornuis achter hem de vlam in de pan met olie.

Tevreden glimlachend en met een smeulende Camel tussen zijn lippen stapte Tony Speranza kwiek voort op de Via Oberdan. Bij een tamelijk chique bar, waar men hem wel zeer goed kende, wipte hij naar binnen en bestelde een dubbele espresso en een whisky. Dit voortreffelijke etablissement had niet alleen Jack Daniels in voorraad maar ook Maker's Mark, en voor deze gelegenheid besloot Tony zichzelf te trakteren op een groot glas van het laatste, al was designerbourbon strikt genomen een beetje tuttig voor een echte investigatore privato.

Maar hij had de klus geklaard, al was hij er dan nog niet voor betaald. Dit werd ondertussen vervelend, vooral vanwege de kosten van het vervangen van de minicamera die in Ancona gestolen was, tezamen met zijn geliefde M-75-pistool. Maar goed, hij had de foto's nu en daar ging het om. De digitale kiekjes van Vincenzo en zijn makkers, gisteravond na afloop van de herdenkingsbijeenkomst voor Curti, door Tony in het café genomen, waren meteen vanmorgen afgedrukt op zwaar A4-papier en de cliënt ter hand gesteld, samen met een gespecificeerde nota.

Zijn cliënt zelf was feitelijk niet op het kantoor toen Tony er langsging, maar hij had de verzegelde enveloppe met 'Dringend, Privé en Persoonlijk' erop overhandigd aan een receptioniste wier uiterlijk en houding de indruk wekten dat haar tarief een eersteklas hoer zou beschamen, met de opdracht deze aan l'avvocato te geven zodra deze terugkwam. Voor de vorm flirtte hij een beetje met de schoonheid met haar fraaie lange benen alvorens terug te keren naar de gevaarlijke straten.

Na de lunch zou hij Amadori sr. opbellen en aandringen op onverwijlde betaling van het overeengekomen honorarium, alsmede de substantiële gemaakte onkosten tot nu toe, waaronder natuurlijk de Maker's Mark, waarvan hij nog een glas bestelde. Kortom, alles was fantastisch, behalve dan het knagende gevoel van existentiële leegheid dat altijd over hem kwam zodra een zaak rond was. Hoeveel tijd restte nog tot de onvermijdelijke dag dat de morele en lichamelijke belasting van het werk hem te zwaar zou worden? Tony was inmiddels ruim twintig jaar speurder, sinds de dag dat hij bij de politie ontslagen was na het neerschieten van twee omstanders bij een mislukte arrestatie van een insluiper, die met een handvol reductiecoupons was ontvlucht na het overvallen van een caissière in een Conad-supermarkt. In dit hondse beroep was twintig jaar een lange tijd.

Hij sloeg zijn tweede bourbon achterover en stak een nieuwe Camel op. Ach wat, hij kon nóg twintig jaar mee, mits het geluk aan zijn zijde bleef en hij geen blauwe boon in zijn lijf kreeg van een of ander stuk schorem in een illegale havenkroeg. Nu waren er feitelijk geen havens in Bologna, maar je wist maar nooit of zijn werk hem op een dag niet naar Ravenna zou leiden. Dat was me nog eens een ruige stad. Maar zo ging het met dit rotwerk. Je wist van tevoren nooit wat er nu weer op je afkwam, alleen dat het niet prettig zou zijn.

Als om dit aanschouwelijk te maken kreeg hij iets in het oog via de grote spiegel achter in de bar, die de ruit in de pui en de straat reflecteerde. Tony smeet wat geld naar de barman en haastte zich naar buiten. Daar, een meter of tien van hem af, had je het overbekende, afgedragen, zwarte leren jack met op de rug het embleem van FC Bologna. Tony volgde voorzichtig. Het was goed om te zien dat Vincenzo de jas met het volgzendertje niet alleen meer droeg wanneer hij naar het stadion ging. Dit zou het leven zoveel makkelijker maken, mocht l'avvocato besluiten Tony in dienst te nemen voor het lange-termijnonderhoud, dat hij zijn cliënten altijd aanbeval in het belang van een permanente gemoedsrust.

De man voor hem sloeg linksaf en nam via zijstraten de kortste route naar de Via Zamboni. Tony hield consequent tien meter afstand. Toen sloeg zijn man opnieuw linksaf en liep langs de San Giacomokerk en het theater naar de universiteit, alwaar hij de trap op rende en in het hoofdgebouw verdween. Hierop haalde Tony zijn schouders op en keerde om. Hij kon iemand moeilijk stiekem achtervolgen in die doolhof van gangen bomvol mensen die twee keer zo jong waren als hijzelf. Wat voor nut had dat trouwens? Kennelijk had Vincenzo Amadori besloten de studie te hervatten. Prima. Dit goede nieuws kon Tony gebruiken om de bittere pil te verzachten wanneer hij de vader van het joch opbelde om zijn geld te eisen, terwijl het feit dat hij het wist overtuigend bewees dat hij onvermoeibaar doorwerkte en aldus zijn belofte 'de zekerheid om alles te weten, altijd' gestand deed.

'Een exacte paralllel van de mimische mimesis die ik net noemde, treffen we aan in de hedendaagse kosmologie, waarbinnen hevig wordt gediscussieerd over het probleem van de klaarblijkelijke "afstemming" van ons waarneembare universum. Aangezien er geen sprake van kan zijn hiervoor een verklaring te zoeken in een goddelijke schepper met een onafhankelijk bestaan *hors du texte*, hebben wetenschappers het zogeheten multiversum oftewel de allemogelijke-wereldentheorie ontwikkeld en in brede kring aanvaard. Het multiversum postuleert een oneindig aantal parallelle universa die elke denkbare permutatie van de materiële constanten omvat. Derhalve is het niet verbazingwekkend dat wij ons toevallig bevinden in het statistisch triviale voorbeeld waar deze constanten zodanig zijn dat menselijk leven mogelijk is. Dit is het enige universum dat wij kunnen ervaren, maar teneinde zijn klaarblijkelijk praktische afstemming te doorgronden moeten wij, met de nadruk op moeten, het bestaan van alle mogelijke varianten vooronderstellen, aangezien iedere andere uitkomst anders a priori nonsens is. Ter vergelijking: iedere tekst impliceert noodzakelijkerwijze het bestaan van een oneindig aantal andere en in vele gevallen tegenstrijdige teksten. Meer dan een eeuw geleden, verkondigde Nietzsche "feiten bestaan niet, alleen interpretatie". In een of ander parallel universum zou Noam Chomsky's beruchte voorbeeld van een grammaticaal correcte doch semantisch betekenisloze bewering "kleurloze groene ideeën slapen woest" even alledaags klinken als "de kat zat op de mat". Vandaar de inherente instabiliteit van onverschillig welke interpretatie, ook al lijkt ze de vanuit uiteenlopende klasse-, machts- en seksestructuren gemaakte tegenstrijdige aanspraken te ondersteunen.'

De collegezaal was een klassiek zeventiende-eeuwse aula, die leek op de theaters en operagebouwen uit die periode: sober, intiem en met een perfecte akoestiek. Professor Edgardo Ugo's spreekstem reikte, zonder enige moeite of versterking, tot de plaats, hoog op de achterste rij, waar Rodolfo Mattioli zat en onzichtbaar was voor Ugo. Toch droeg hij andermaal Vincenzo's versleten leren jack, dit keer om herkenning te vermijden.

Professor Ego, zoals niet alleen zijn studenten maar ook zijn collegae hem noemden, was nu aangekomen bij zijn peroratie. Deze werd gekenmerkt door een combinatie van geestige en erudiete verwijzingen naar Eugenio Montale, het videospel *Final Fantasy X-2*, Roman Jakobson, de kattenparadox van Schrödinger, Sint-Thomas van Aquino, *Invasion of the Body Snatchers*, transcendentale getaltheorie en de Bagdad-*blogger*. Daarna nam hij de toejuichingen van zijn gehoor in ontvangst met een al even kenmerkend gebaar dat zei dat al begreep hij, evenals zij zelf vanzelfsprekend, dat niets van dit geheel van enige betekenis was, zij tevens begrepen dat dit ook voor al het andere gold. Of zoals Ugo Oscar Wilde vrij placht te citeren: 'We liggen allemaal in de goot, maar sommigen van ons pretenderen niet langer naar de sterren te kijken.'

Rodolfo liep met de andere toehoorders de zaal uit. Een aantal van hen wierp hem een vluchtige, gegeneerde blik toe om daarna snel weer de andere kant op te kijken. Het nieuws dat hij er bij Ugo uitgetrapt was, had dus de ronde gedaan onder de overige studenten. Hij was nu taboe. Ze moesten eens weten, dacht hij, terwijl hij het pistool betastte dat hij bij zich droeg in de zak van het leren jasje. De avond ervoor had Rodolfo het wapen, dat hij verborgen achter de boeken in zijn kamer had aangetroffen, onderworpen aan een nauwkeurige inspectie. Het was van buitengewoon goede kwaliteit, van Russische makelij te oordelen naar de rode ster op de greep en voor zover hij kon zien gloednieuw.

Maar de vage kruitgeur in de loop en het feit dat het magazijn slechts zeven patronen bevatte, duidden erop dat er ten minste één keer mee geschoten was.

Rodolfo was geen groentje op het gebied van vuurwapens. Tijdens zijn steile klim vanuit de lagere echelons binnen de naoorlogse bouwwereld in Puglia had zijn vader er niet omheen gekund om te leren hoe hij een verscheidenheid van vuurwapens moest onderhouden en gebruiken. Deze kennis gaf hij door aan Rodolfo als oefening in vader-zoonverbondenheid. Hij placht hem bij hun buitenhuis mee te nemen de wilde natuur in om schietoefeningen te doen. Rodolfo was van blikken en flessen gepromoveerd naar ongedierte en vogels en in de hoop zijn vader tevreden te stellen had hij zich tot een volleerd schutter ontwikkeld.

Goed, vandaag zou hij deze lang verwaarloosde vaardigheden aan een toets onderwerpen. Met de menigte studenten liep hij de gang door en de trappen af en amuseerde zich ondertussen met de gedachte dat hij er in theorie zo zeven kon doden. Uiteraard deed hij dat niet. Al was het maar omdat de willekeurig gepleegde misdaad zonder motief zoiets twintigste-eeuws was, een van dé clichés van het modernisme, zowel artistiek als politiek. Iemand als Vincenzo, die niet besefte dat de enige sterren die hij kon zien de flitsen in zijn hoofd waren als gevolg van zijn val in de goot, kreeg dan misschien nog een kick uit zoiets, maar Rodolfo niet. Zijn *acte* werd niet zozeer *gratuite* als wel *in omaggio* volvoerd. Aan zijn retoriek door middel van het gebaar zou niets mankeren en daarna pakte hij de eerste de beste trein naar het zuiden om bij het aanbreken van de dag voor het ouderlijk huis te staan, zijn academisch eerverlies en zijn vernedering op te biechten en zijn vader te smeken hem echt werk te geven.

Na zijn wekelijkse college, zo wist Rodolfo, verliet Edgardo Ugo het gebouw via een zijdeur die toegang gaf tot de fietsenstalling voor het personeel. Daar pakte de professor zijn rijwiel en fietste het kleine stukje naar zijn huis in de stad om te ontspannen en zijn lunch te bereiden. Daarom posteerde Rodolfo zich bij het zijhek naar de openbare weg. Zelf bezat hij geen fiets, maar in het verleden was hem opgevallen dat, geheel overeenkomstig de traditie van zijn stad, Ugo zich op twee wielen verplaatste met een beschaafd, ontspannen tempo dat nauwelijks sneller was dan een stevig drafje. Gezien het onvermijdelijke verkeersoponthoud, twijfelde Rodolfo er niet aan dat hij zijn prooi zou kunnen bijhouden op die ene kilometer of zo die de universiteit scheidde van Ugo's beeld van een herenhuis aan de Via dell'Inferno. En daar, dacht hij bij zichzelf, zal ik de zelfingenomen smeerlap iets te interpreteren geven.

Naar adem happend van pijn kwam hij wankelend overeind. De rij met krukken viel om als waren het dominostenen. Hij scheurde zijn overhemd open. Onder het geschonden weefsel van zijn buik roerden zich machtige wormen. Het vlees lichtte rood- en geelgloeiend op, zodat het scalpellitteken dat zich rond de navel kromde eruit sprong als een zwart vraagteken. Toen raakten de onder te grote spanning staande hechtingen eindelijk los. Er stroomden hete, stinkende pus en bloed naar buiten, die de andere eters doorweekten, maar deze bleven allemaal eten en kletsen alsof er helemaal niets gebeurd was; wat klopte.

'Caffè, liquore?' informeerde de kelner.

Zen schudde kortaf met zijn hoofd. Plots werd er uitbundig gelachen en een van de mensen die vlak bij Zen op een hoge kruk aan de bar zaten wees naar de immense flat screentelevisie, waarop beelden te zien waren van een bebaarde, als kok verklede man die opgewonden heen en weer rende in een in brand staande keuken. De opgehangen tv paste helemaal in het verheven concept achter het eethuisje, dat eigenlijk een bijzonder prijzige snackbar was met meubilair dat erop was gemaakt om oncomfortabel te zijn, een selectie van wijnen per glas tegen per-fles-prijzen, en klanten die het kennelijk heerlijk vonden om samen te spannen met het personeel in het scheppen van een onechte, wereldwijze sfeer van wederzijdse minachting. Dit alles was weggestopt in een smal keienstraatje dat nergens speciaal heen leidde en de voorgevel mocht uitermate non-descript genoemd worden. Prostitutie mag dan het oudste beroep zijn, dacht Zen – overigens niet voor het eerst – maar ze werd dicht op de hielen gezeten door het cateringbedrijf en zo waren er meer overeenkomsten.

Maar niets hiervan was van enig belang vergeleken met het feit dat hij nog steeds alleen zat. Inmiddels al ruim een uur en Gemma was in geen velden of wegen te bekennen. Bij herhaling had hij geprobeerd haar mobiel te bellen, maar de batterij was leeg of ze had hem uitgezet. Na een halfuur wachten had hij de dagschotel besteld – hij wist al niet eens meer wat het geweest was – en met chagrijnige eetlust opgegeten. Hij las haar sms nog eens na. Ja hoor, de naam en het adres van deze afgrijselijke tent, met het telefoonnummer erbij zelfs. Er kon geen sprake zijn van een misverstand. Bovendien had ze het nummer van zijn mobiel, en die had aldoor aangestaan. Derhalve viel er maar één conclusie te trekken: ze had hem welbewust laten zitten. Een dergelijke botheid had hij van Gemma niet verwacht, zelfs niet op haar allerergst. Maar ziedaar.

Hij had al om zijn rekening gevraagd toen de deur opengìng en Gemma binnenstapte, elegant doch vrij streng gekleed. Ze had een open en blozend gezicht, en ze gedroeg zich jolig op een manier alsof ze haar vrolijkheid maar nauwelijks wist te onderdrukken.

'Sorry dat ik te laat ben,' riep ze uit, terwijl ze aan de tafel neerplofte en een sigaret opstak. 'Je raadt nooit wat er gebeurd is! Of heb je het gezien?'

Ze barstte in lachen uit, wat een langdurige hoestbui teweegbracht, in de loop waarvan de hooghartige kelner verscheen.

'Voor mij niets, dank u,' zei ze, hem gebarend weg te gaan.

'Wil je niets eten?' vroeg Zen.

'Ik heb snel een *panino* genomen in een bar bij het congrescentrum, toen ik moest wachten. Er was natuurlijk eeuwenlang geen taxi te krijgen.'

Opnieuw barstte ze in lachen uit.

'Heb je gezien wat er is gebeurd?'

Zen, die nog steeds half en half een valkuil vermoedde, gaapte haar aan, maar ze was duidelijk onbevangen. Alleen was het probleem dat het hem nog altijd een raadsel was waarover ze het had.

'Gezien? Waar?'

'Op tv.'

Gemma wees naar het scherm waarop nu de president van de republiek een erewacht inspecteerde in de bijzonder barokke hoofdstad van een Oost-Europees land dat recentelijk uit de Koude Oorlog was thuisgekomen.

'Caffè, liquore?' informeerde de kelner, die met dermate bezieling weer opdook dat ze zich beiden lieten vermurwen tot het bestellen van koffie.

'Je weet in de verste verte niet waarover ik het heb, hè?' zei Gemma, opnieuw lachend. 'Je bent vast de enige in het hele land!'

Over het tafelblad heen raakte ze Zens pols aan met haar hand, heel eventjes, maar lang genoeg om weer zo'n intestinale steek op te roepen, die hem opnieuw deed terugdenken aan die scène uit een sciencefictionfilm die ze ooit op video gehuurd hadden, waarin een bemanningslid van een ruimteschip op alleronaangenaamste wijze ontdekt dat zich een buitenaardse parasiet heeft genesteld in zijn buik.

'Je weet wel, dat tv-programma waaraan je een hekel hebt?' sprak ze monter verder. '*Lo Chef Che Canta e Incanta*? Nou, ik hoorde dat er vandaag een liveoptreden van de ster opgenomen werd op de voedingsmiddelenbeurs die hier op dit moment wordt gehouden. Dus natuurlijk nam ik die gelegenheid te baat, aangezien ik toch al hierheen kwam.'

Zen knikte.

'Om mij te zien,' mompelde hij.

Heel even kreeg Gemma een wazige uitdrukking op haar gezicht.

'Tja, eigenlijk vroeg Stefano me of ik het weekeinde hier kwam. Wat huiselijke aangelegenheden die hij wil bespreken. Je weet toch van hem en Lidia? Ze wonen hier in Bologna en kennelijk is er iets gebeurd. Ik weet vrijwel zeker dat ik kan raden wat dat is, maar natuurlijk willen zij er een heel gedoe van maken, en dat is logisch. Maar goed, het betekende ook dat ik jou kon zien en de *mano a mano* tussen Rinaldi en Ugo kon meepikken. Uiteraard dacht niemand in termen van een echte wedstrijd. Ik bedoel maar, de allerberoemdste kok in het land tegen een absolute amateur!'

Lachend wierp ze haar hoofd achterover, waarbij ze haar prachtige hals liet zien.

'En raad eens wat? Het werd inderdaad geen wedstrijd, want de wedstrijd vond nooit plaats!'

Hun koffie werd lomp voor hen neergezet. Zen slurpte van de zijne, stak een sigaret op en deed zijn uiterste best om enthousiasme op te brengen voor waarover dit ook gaan mocht.

'Heeft een van hen op het allerlaatste moment afgezegd?' vroeg hij.

'Veel beter nog. Of erger. Ugo rommelde gewoon rond in zijn keuken, deed wat hij moest zonder er kouwe drukte om te maken. Eigenlijk vond ik hem wel leuk. Hij zag er heel lief en aaibaar uit en een beetje klungelig. Helemaal niet zoals ik me hem had voorgesteld toen ik probeerde om die onmogelijke roman van hem te lezen, die iedereen kocht om daarna te doen alsof ze hem hadden gelezen. Ik zou er helemaal geen bezwaar tegen hebben om hem terwijl ik hier in Bologna ben tegen het lijf te lopen.'

'Ik denk niet dat daar veel kans op bestaat.'

'Tuurlijk niet, maar een meisje mag haar dromen hebben. Maar goed, aan de andere kant van het podium voerde Lo Chef zijn gebruikelijke act op, allemaal reuze dramatisch en van "moet je mij zien". Hij flirtte de hele tijd met het publiek en daarna barstte hij los in een zogenaamde opera-aria. Helaas laat hij zich hierdoor zo meeslepen dat hij zijn pan met olie op het fornuis helemaal vergeet en midden in een van zijn grote nummers vliegt het ding in de fik! Het decor was duidelijk op het allerlaatste moment in elkaar geknutseld van dunne houten panelen en die stonden in lichterlaaie voordat iemand er iets aan kon doen. Prompt staat de zaal vol rook, gaat overal het brandalarm af en moet de hele tent geëvacueerd worden. En dan bedoel ik heel het fiera-complex, heel de Enogast-beurs! Duizenden ordeloos rondlopende mensen op de parkeerterreinen, brandweerwagens die binnenstromen, politiehelikopters in de lucht, totale chaos!'

Er verstreken enkele ogenblikken voordat Zen zei: 'Dus vanavond zie je je zoon en zijn...'

'Ja.'

'Waar gaat het over?'

Gemma keek hem met een ietwat koket glimlachje aan. 'Tja, Stefano wilde het niet over de telefoon zeggen, maar ik heb het gevoel dat ik wel eens oma zou kunnen worden.'

Zen liet deze gedachte even bezinken.

'En dat maakt mij...' stak hij ten slotte van wal.

'Niets.'

Even werden er uitdagende blikken uitgewisseld.

'Helemaal niets,' zei Gemma, bitser nu. 'Wij zijn niet getrouwd en zij evenmin. Dus het is helemaal niet van belang. Niet voor jou, althans.'

Zen probeerde een passende opmerking te bedenken.

'Blijf je vannacht over?' vroeg hij ten slotte.

Gemma schudde van nee.

'Ze kunnen me niet te logeren hebben. Het is maar een tweekamerappartement. Ze mogen het gebruiken van haar ouders.'

Zen keek naar haar op de manier waarop hij dat ook vaak deed naar een verdachte die meer had losgelaten dan hij zelf wist.

'Dus zij heeft de broek aan,' zei hij.

Wederom een kortstondig uitwisselen van uitdagende blikken.

'Ze zijn een stel,' zei Gemma zeer nadrukkelijk, alsof ze sprak tegen een buitenlander met een beperkt begrip van de taal.

'Maar zij is de baas,' hield Zen vol.

'Ik zou het niet weten.'

'Zij bezit het huis, *cara*. Net zoals jij.'

Hun blikken ontmoetten elkaar en onmiddellijk besefte hij dat hij te ver was gegaan. Even later voelde hij weer een steek in zijn buik en zag hierin een kans om de stemming wat op te vrolijken.

'Weg!' beval hij het denkbeeldige buitenaardse ding in hem met een overdreven barsheid die komisch bedoeld was. 'Weg, weg!'

Maar Gemma was de film waaraan hij hier refereerde vergeten en hij had hoe dan ook niet van haar kunnen verwachten dat ze het verband tussen een en ander begreep. In de veronderstelling dat zij de aangesprokene was, sprong ze overeind en rende naar de deur.

Edgardo Ugo fietste naar huis toen er iets gebeurde.

Hij voelde zich rustig en opgewekt, volkomen tevreden met zichzelf, met de stad die hij zo goed kende en hem zo dierbaar was en met het leven in het algemeen. Tot zijn opperste verbazing had hij een onweerlegbaar groot succes geboekt in de door veel publiciteit omgeven wedstrijd tegen Rinaldi. Toegegeven, dit kwam geheel en al op het conto van de ongelooflijke incompetentie van zijn tegenstander. Maar het resultaat was er niet minder overtuigend door geweest. Als die smeerlap hem nog steeds een proces wilde aandoen, ging hij zijn gang maar! Na afloop had hij geweigerd commentaar te geven op het gebeurde tegenover de menigte journalisten die samendromden buiten het ontruimde beurs- en congrescentrum en een taxi genomen naar de universiteit om zijn beroemde wekelijkse college te geven, wat hij met de rustige, vakkundige manier hem eigen had gedaan alsof hij zojuist was teruggekeerd van een bezoekje aan de bibliotheek.

Nu was hij onderweg naar zijn kleine pied-à-terre dat hij er in de stad op na hield, vlak bij de universiteit. Hij wilde zich opfrissen en zich ontdoen van zijn van rooklucht vergeven kleren voordat hij ging lunchen met een bezoekende academicus van de Universiteit van Uppsala. Waarheen hij zich op de fiets zou begeven, uiteraard. In Bologna werden fietsen geassocieerd met het grauw: arme studenten, gepensioneerden die van weinig moesten rondkomen, vrekkige huisvrouwen en wat dies meer zij. Als een wereldberoemde auteur en academicus met onnoemelijk veel miljoenen op de bank er op een gezien werd, transformeerde dit diens oude rammelkast van een Bianchi S24 uit 1923, die overigens qua constructie mooi was, van een nederig transportmiddel in wat semiotici een 'tekenvehikel' noemden. En aldus maakte Ugo weer zo'n ondoorgrondelijke grap waarom hij bekendstond. God, wat was hij toch cool.

En toen gebeurde er iets.

Naderhand werd hem natuurlijk glashelder wat dit was, maar het ogenblik waarop het gebeurde bezorgde hem slechts kortstondige en warrige indrukken, gevolgd door een weeïg gevoel van het zijn evenwicht verliezen, de schok van de val en allerhande pijnen en pijntjes. Het volgende waarvan hij zich helder bewust was, was dat er een man over hem heen gebogen stond. Ugo zelf bleek op de straatkeien te liggen met het fietsstuur ergens in zijn nieren.

'Aurelio Zen, Polizia di Stato,' snauwde de man, terwijl hij hem een identiteitskaart toonde. 'U staat onder arrest wegens gevaarlijk rijgedrag.'

Ugo probeerde iets te zeggen, maar de man had zich al van hem afgewend en stond luidkeels om een ambulance te bellen. Op dat moment zag Ugo een vrouw versuft tegen een vrijwel naast hem geparkeerde auto geleund staan. Er zat bloed op haar gezicht en ze ademde snel.

'Onmiddellijk!' schreeuwde de Zen geheten politieman. 'Het is hoogst urgent. Mijn echtgenote is overreden.'

'Ik ben je echtgenote niet, verdikkeme!' zei de vrouw vinnig.

De man klapte zijn mobiel dicht en beende naar Ugo, die inmiddels weer stond. Hij leek helemaal buiten zichzelf van woede of ongerustheid, of beide.

'Ik kan nu niet tot arrestatie overgaan,' zei de politieman, 'aangezien ik het slachtoffer naar het ziekenhuis moet begeleiden. Maar als blijkt dat ze ernstig gewond is, wat God verhoede, dan zal ik verdere stappen ondernemen. Ik wil uw gegevens hebben.'

Ugo pakte zijn portefeuille en overhandigde Zen zijn identiteitsbewijs, samen met een kaartje met daarop zijn privéadres en titel, alsook zijn functie aan de universiteit en zijn telefoonnummers aldaar. Hierdoor werd hij misschien met een beetje respect behandeld, dacht hij en hij raapte zijn fiets op, net toen er in de verte een sirene klonk.

'Neemt u me niet kwalijk!'

Hij draaide zich om. De vrouw tegen wie hij opgebotst was keek hem aan.

'Bent u niet Edgardo Ugo?'

Hij knikte.

Ze glimlachte en haar bebloede gezicht begon te stralen.

'Ik heb u altijd al willen ontmoeten,' praatte ze verder. 'Ik was vanmorgen bij uw kookwedstrijd met Lo Chef. Ik vond u geweldig!'

Waarschijnlijk voor het eerst in zijn leven stond Edgardo Ugo met zijn mond vol tanden.

'Ik vind het zo erg dat dit is gebeurd,' zei hij ten slotte. 'Ik kan me niet genoeg verontschuldigen.'

De vrouw lachte dit weg. 'Niet nodig, hoor. Het was helemaal mijn eigen schuld.' Ze wees met een duim naar Zen, die zorgelijk het einde van de straat afspeurde naar de ambulance. 'We hadden zonet ruzie en ik kon niet snel genoeg weg wezen uit het restaurant. Ik vloog naar buiten zonder te kijken of er iets aankwam. U kon er echt niets aan doen.'

'Daar komt hij!' riep Zen.

'En let maar niet op hem,' vertrouwde Gemma Ugo toe. 'Al dat gedoe over u arresteren? Niet meer dan loze bluf.'

Toen was de ambulance er en de broeders stapten uit. Ugo stapte op de Bianchi en probeerde onopvallend weg te fietsen, maar door de aanrijding bleek te ketting eraf te zijn. Hij wilde geen vieze vingers krijgen en ook niet blijven hangen, dus wandelde hij weg met de fiets aan de hand.

Op de hoek van de straat, onder de poort die de ingang van het voormalige getto markeerde, keek hij achterom. Klaarblijkelijk achtte het ambulancepersoneel de toestand van de vrouw onvoldoende ernstig om haar op een brancard te leggen. Tot Ugo's opluchting zag hij dat ze zonder hulp kon lopen en dat ze achter in de ambulance in een stoel werd geholpen. Het ongeluk had een heleboel toeschouwers getrokken, onder wie een jonge man in een zwart leren jack met het embleem van de plaatselijke voetbalclub. Ook viel hem op dat de politieman die hem zoëven had bedreigd niet in de ambulance stapte, zoals hij had aangekondigd te zullen doen, maar haar na stond te kijken, waarna hij zich omdraaide en in Ugo's richting begon te lopen.

Met een schouderophalen ging Ugo de hoek om. Als die smeris naar hem op zoek was, hij had het adres. Ondertussen liep hij zich te verwonderen over de uitzonderlijke gebeurtenissen van die dag. Dat je iemand van de sokken reed en ze je vervolgens vertelde hoe fantastisch je was! Ongelooflijk. Hij hoopte alleen maar dat ze geen hersenschudding had. Maar goed, genoeg opwinding voor een dag. Een hete douche, schone kleren en dan op stap naar een ontspannen, late lunch met professor Erik Lönnrot. Hij zette de fiets tegen de muur van het huis, tussen de voordeur en de marmeren kopie van de in massa geproduceerde *Fountain* van Marcel Duchamp uit 1917. Hij vond zijn sleutel en draaide zich iets opzij om hem met kracht in het weerspannige slot te steken.

En toen gebeurde er weer iets.

Romano Rinaldi ijsbeerde rusteloos en in het wilde weg door de vele kamers van zijn hotelsuite, een constant rondbewegen met geen ander doel dan het verlichten van de ondraaglijke druk in zijn schedel. Hij kon ieder moment sterven, dat leed voor hem geen enkele twijfel. Hoe noemde je dat ook alweer? Een aneurysma, een attaque, een hersenbloeding. Het kwam erop neer dat je hersenen ontploften.

Hij liep door naar de grote slaapkamer, toen naar de dubbelbeglaasde balkondeuren aan de straatzijde. Hij kreeg de bijna overweldigende behoefte om grote teugen frisse lucht in te ademen, maar hij kon het risico niet nemen zich te laten zien. Niet met de paparazzi die daarbeneden in het gelid stonden als een vuurpeloton, de vinger actiegereed boven de sluiter om de voorpaginafoto 'ZIJN AFGANG' te schieten. Dus werd het de logeerkamer en vervolgens door de hal in de suite naar de zitkamer, die zich uitstrekte over de gehele breedte van het gebouw. Hoe hij ook zijn best deed, het lukte hem niet om zichzelf niet te zien in de immense spiegel die de achterwand domineerde.

Ik ben uitgekakt, dubbel en dwars uitgekakt, dacht hij, zijn afgeleefde gezicht in zich opnemend. En het is helemaal mijn eigen schuld. Ik had het op zijn beloop kunnen laten, maar ik moest zo nodig de uitdaging aannemen. En ik kan niemand anders dan mezelf verwijten dat ik het verknalde, ten overstaan van een miljoenenpubliek. De televisiejournaals zouden de hoogtepunten eindeloos herhalen, tot het hele land zijn absolute vernedering had aanschouwd. Ze zouden hem op straat uitlachen en mensen zouden gniffelen wanneer hij aan hen werd voorgesteld. En zijn carrière als

Lo Chef Che Canta e Incanta kon hij verder wel op zijn buik schrijven. Voor de rest van zijn leven zou hij zijn schande met zich meedragen, zoals de honden die je wel zag lopen met een plastic zak met hun eigen stront erin aan hun halsband.

Hij greep zijn hoofd vast en staarde in de spiegel. Die uitpuilende ader op zijn slaap was echt nog meer opgezwollen dan vijf minuten geleden. Delia moest een ambulance voor hem bellen. Al sinds de Middeleeuwen waren er in Bologna goede ziekenhuizen. Indertijd paste men aderlating toe om de druk te verminderen. Bloedzuigers. Dat obscene geval dat ze hem vorig jaar in Tokio aanboden in een bentodoos; een soort rauwe slak zonder zijn schaal. Een fraai gelakt kistje met een gevilde penis erin. Maar na dit debacle zou niemand hem nog naar internationale culinaire congressen uitnodigen, dat stond vast.

Na het verlaten van het fiera-complex – gelukkig had zijn productiemaatschappij gezorgd dat er een auto klaarstond op het vipgedeelte van het parkeerterrein – was Rinaldi regelrecht teruggekeerd naar zijn hotel. Hij ging naar binnen via de keukens, waar zijn onverwachte verschijning zorgde voor veel gejoel en grappen waarin brandblusapparaten voorkwamen bij de pilsgesmeerde, doorzwete *peones*. Daarna de trap van de nooduitgang op naar zijn suite, waar hij de deur op het nachtslot en de ketting deed, de telefoonhoorn van de haak nam en zijn mobiel uitzette, alvorens zijn resterende voorraad cocaïne in z'n geheel op te snuiven. Helaas was dat niet zo heel veel geweest en inmiddels was het effect ervan uitgewerkt. Hij zette de mobiele telefoon weer aan, waarbij hij de bende berichten negeerde, en belde Delia.

'Breng me twee flessen wodka en een emmer met ijs,' zei hij, en kapte zo het verhaal af waarin ze meteen losbarstte. 'Persoonlijk. Nú.'

Vijf minuten later hoorde Rinaldi een bedeesd klopje op de deur. Voordat hij de versperring ophief om Delia binnen te laten, gluurde hij door het loergat om te kijken of ze het inderdaad was en of ze alleen was.

'Zet daar neer,' zei hij, naar de vloer van de entree wijzend.

Maar Delia liep regelrecht door naar de zitkamer, waar ze de twee flessen en de zilveren emmer op het glazen blad van een tafel zette.

'Donder op!' schreeuwde Rinaldi, die haar achterna kwam. 'Ik heb behoefte om alleen te zijn.'

'We moeten praten, Romano.'

'Er valt niets te praten.'

Delia zakte weg in de kussens van een sofa ter grootte van een gemiddelde gezinsauto.

'*Carissimo*, ik probeer je al uren te pakken te krijgen!'

Rinaldi liet vier grote ijsklonten in een hoog glas vallen, vulde het tot de rand met wodka en nam een diepe teug.

'Waarom reageerde je niet op mijn berichten?' praatte Delia verder op een irritante diep-vanbinnen-ben-ik-eigenlijk-maar-een-klein-meisje-jammertoon. 'Hoe kan ik je helpen als je niet eens met me wilt praten?'

'Niemand kan me helpen. En in je carrière kan ik jou ook niet verder meer vooruithelpen, dus doe nou niet alsof het je echt iets kan schelen. Het is voorbij. Ik, jij, de serie, het bedrijf, alles.'

'Dat is belachelijk, Romano! Je kunt het bijltje er niet zomaar bij neergooien vanwege een dom ongelukje!'

Hij sloeg nog meer wodka achterover en stikte bijna toen hij in ongelovig lachen uitbarstte.

'Dom ongelukje! Ik heb zowat het hele beurs- en congrescentrum van Bologna in de as gelegd! Voor zover ik weet zoekt de politie me.'

'Het was jouw schuld niet! Hoe kon jij weten dat de knoppen van de pitten op het fornuis niet goed waren afgesteld? Alle keukenapparatuur was op het allerlaatste moment bij elkaar gescharreld bij de fabrikanten die op de Enogast-beurs staan. Ze hebben een paar demonstratiemodellen die het doen, maar het merendeel van de apparatuur wordt alleen tentoongesteld. En laat nou net een van die apparaten in jouw keuken neergezet zijn. De monteurs hebben hem aangesloten op het gas maar door tijdgebrek nagelaten om alle functies goed af te stemmen. Dus zette jij die pan met olie op naar wat jij dacht laag vuur was en keerde de pan je rug toe om andere dingen te doen en je fans bezig te houden. Feitelijk was de vlam onder de pan heter dan volgens de veiligheidsbepalingen voor dit type fornuis mag, zelfs als hij op zijn hoogste stand gestaan had! Het resultaat was onvermijdelijk.'

Rinaldi dronk zijn glas leeg en schonk zich onmiddellijk opnieuw in.

'Niemand zal dat geloven.'

Delia ging staan om hem recht in het gezicht te kunnen kijken.

'Ja hoor, wanneer de directeur van het bedrijf waar het fornuis werd gefabriceerd dit morgen bevestigt, na het fornuis in kwestie persoonlijk te hebben onderzocht.'

Een minachtend schouderophalen.

'Waarom zou hij willen helpen?'

'Tja, ik zou het niet weten. Misschien heeft de honderdduizend van de omroep hierbij een handje geholpen.'

Verbaasd staarde Rinaldi haar aan.

'Ze hebben hem omgekocht?'

'Allicht. Je bent een van hun kaskrakers voor de nabije toekomst. Ze geven je niet zonder slag of stoot op.'

Ze kwam heel dicht bij hem staan en keek hem strak in de ogen.

'Het enige dat jij de komende dagen moet doen is je gedeisd houden. Geen interviews, geen commentaar, geen telefoontjes behalve die naar en van mij. Het zou feitelijk het allerbeste zijn als je je niet in het openbaar vertoonde. Waarom blijf je niet gewoon hier?'

Rinaldi schudde heftig van nee.

'Geen sprake van!'

Al was het maar omdat hij zijn gezicht echt nergens kon laten zien, in geen enkel restaurant in de stad, waar het merendeel van de klanten aanwezig was op de Enogast-beurs. Zelfs roomservice was hachelijk. 'Het spijt ons, meneer, maar de brandveiligheidsvoorschriften in Bologna staan het bereiden van geflambeerde gerechten in de kamers niet toe, hahaha.'

Delia knikte.

'In dat geval gaan we over op plan B. Een van de directeuren van onze zender heeft een villa in Umbrië. Luxueus en erg afgelegen. Om zeven uur vanavond zorg ik dat er bij de achterdeur van het hotel een auto voor je klaarstaat om je snel af te voeren. Er wachten je een goedvoorziene provisie- en drankenkast, om niet te spreken van een keur van jouw favoriete recreatieve drugs. Wanneer alles geregeld is, halen we je naar Rome voor een grondig gerepeteerde persconferentie, zodat je een antwoord klaar hebt op iedere denkbare vraag. En helemaal aan het eind daag je Edgardo Ugo uit de wedstrijd alsnog te houden.'

Rinaldi schokte hierop zo hevig dat het grootste deel van zijn borrel over de rand van het glas gutste.

'Dat nog eens moeten doormaken? Ben je gek?'

Delia legde haar hand op zijn arm.

'Dat zal niet hoeven, Romano. Ugo's advocaat is al in het bezit van een document waarin wij uitdrukkelijk verklaren dat we, ongeacht de uitkomst van de wedstrijd vandaag, geen verdere genoegdoening zullen eisen van zijn cliënt. Ugo heeft er daarom niets meer bij te winnen, dus zal hij ons aanbod afslaan. Maar jij hebt het wel aangeboden, waardoor je een goede beurt maakt. Daarna gaan we weer over tot de orde van de dag en maken plannen voor de zomerafleveringen. *Va bene?*'

Rinaldi liet hier even zijn gedachten over gaan. Eigenlijk klonk het zo gek nog niet. Misschien was er toch nog hoop.

'*Va bene.*'

Hij begeleidde Delia naar de deur en deed hem achter haar op slot en op de ketting. Terug in de zitkamer schonk hij zijn glas nogmaals vol en begon weer rond te dwalen, hoewel ontspannener dan daarvoor. Wodka was goed spul, mits je het in voldoende hoeveelheden tot je nam. Maar na de dag die híj achter de rug had, vond Rinaldi, verdiende hij een beetje van het allerbeste. Hier zou hij dat natuurlijk niet te pakken krijgen, maar zelfs een relatief bescheiden product was al beter dan niets. Zodra het donker werd en de verzamelde pers het opgaf, zou hij naar buiten glippen en in wat bars rond de universiteit proberen te informeren. Vragen kon geen kwaad.

Zodra de automatische deuren van de Policlinico Sant'Orsola zich zoevend achter hem sloten, voelde Zen zich thuis. Heerlijk om weer terug te zijn in die rustige, efficiënte, goed geordende wereld, waar een sfeer van zelfbewuste kundigheid heerste en waar zaken van leven en dood besproken werden op onaangedane, afgemeten, gedempte toon. Uiteraard lag dat anders in Palermo of Napels – of Rome zelfs, de reden waarom Zen voor een privékliniek had gekozen – maar de hoge maatstaven die men in Bologna aanlegde stonden er borg voor dat hun algemene ziekenhuis perfect was in zijn soort.

De nederige en onbeduidende status van niet patiënt, herkenbaar aan het ontbreken van het talismanachtige plastic polsbandje, maakte desondanks dat het veel meer tijd kostte om de diverse binnengrenzen te passeren. Zens politielegitimatie kwam hem tot zekere mate van pas, maar toen hij eindelijk de wachtkamer bereikte bij de behandelkamer waar men naar Gemma keek, werd hem de toegang zonder omwegen geweigerd. Om het nog erger te maken, vertelde de baliedienst hebbende verpleger hem dat dit op verzoek van de patiënte was.

'Nonsens,' zei Zen hierop kwaad, 'ze weet niet eens dat ik hier ben.'

'Bij haar opname verklaarde de patiënte dat als ene Aurelio Zen vroeg of hij haar mocht bezoeken, hem toestemming moest worden geweigerd.'

'Maar dat is absurd! We wonen samen!'

'Het beleid van het ziekenhuis is dat we in aangelegenheden als deze de wensen van de patiënt respecteren.'

De verpleger verlegde zijn aandacht naar een stapel dossiers.

'Hoe lang gaat het duren voordat de voorlopige diagnose gesteld is?' wilde Zen weten.

'Dat hangt van de arts af.'

'Ik vraag om een schatting.'

'Minstens een halfuur.'

Zen zuchtte luid en liep hoofdschuddend naar de deur, waarbij hij bijna in botsing kwam met een klein, verschrompeld vrouwtje, wier jas minstens vijf maten te groot was voor een door ouderdom ernstig gereduceerde gestalte.

'Die smeerlappen denken dat ze je de wet kunnen voorschrijven,' pruttelde Zen.

De vrouw giechelde, een onverwacht helder, kabbelend geluid. Opeens herkende Zen haar als degene die de avond ervoor in de bar bij het voetbalstadion tegen een ogenschijnlijk opgezette pekinees praatte.

'Neeh, de begrafenisondernemer schrijft je de wet voor!' zei ze toen.

Zen keek hoe laat het was en ging naar buiten om een sigaret te roken; het rookverbod in het ziekenhuis werd in Bologna naar het scheen zelfs door de artsen in acht genomen.

Voor de hellingbaan naar de *Pronto Soccorso* was een ambulance gestopt. Onder toezicht van twee carabinieri werd er door ambulance- en ziekenhuispersoneel een brancard uit gehaald. Volgens de traditie van politiemensen wereldwijd hadden de twee hun auto zo geparkeerd dat het het allerhandigst voor henzelf was, maar allerminst zo voor anderen. In dit geval blokkeerde hij de rijdbare route het ziekenhuis in. Een politieman verreed hem en toen hij terugliep wachtte Zen hem op. Na hem zijn legitimatie getoond te hebben informeerde hij uit lichte beroepsmatige nieuwsgierigheid wat hier gaande was.

'Schotwond,' antwoordde de carabiniere, terwijl het slachtoffer naar binnen werd gerold.

Zen keek naar de vertrouwde bolle plastic zak die een van

de ambulancebroeders omhooghield. De kleurloze vloeistof die het intraveneus infuus voedde; nog niet zo lang geleden, dagen achtereen zíjn enige voeding.

'Zelf toegebracht?'

'Dat weten we nog niet. Zijn toestand was niet zodanig dat hij vragen kon beantwoorden.'

'Ach, dat hoort er nu eenmaal bij,' zei Zen op een toon van wij-vakbroeders-onder-elkaar.

'Het komt anders wel in het nieuws,' sprak de carabiniere verder, kennelijk gekwetst door de suggestie dat dit gewoon een routineklus was.

'Hoezo?'

'In de ambulance hebben we zijn papieren bekeken. Professor Edgardo Ugo. Een hoge ome aan de universiteit, blijkbaar.'

Zen fronste. De naam klonk bekend, maar hij kon hem niet zo een, twee, drie thuisbrengen. De afgelopen paar uur was er zoveel gebeurd.

'Nou, ik moest maar eens gaan zien of hij een verklaring kan afleggen,' zei de politieman, terwijl hij zijn pet recht opzette.

'Ik loop mee,' zei Zen. 'Ik moet ook naar iemand toe.'

Hij hoopte erop dat Gemma behandeld werd in een van de met een gordijn afgeschermde hokjes op de Eerste Hulp en dat hij door het omzeilen van de verpleger achter de balie misschien met Gemma zou kunnen praten. Bij haar opname moest er sprake zijn geweest van een vergissing of van verwardheid. Hoogstwaarschijnlijk had ze een lichte hersenschudding opgelopen. In elk geval zou ze hem zeker niet weigeren te zien wanneer hij voor haar stond.

Deze vlieger ging helaas niet op, door toedoen van de efficiency en de betreurenswaardig adequate hoeveelheid personeel in het Bolognese ziekenhuis. Zen werd door een verpleegkundige onderschept die hem vroeg wat hij kwam doen. Zodra zijn identiteit en bedoelingen waren vastgesteld, werd hij doorverwezen naar het afdelingshoofd en zij gaf hem in niet mis te verstane bewoordingen te kennen dat hij moest verdwijnen. Terwijl ze hem naar de deur begeleidde, passeerden ze het hokje waar de carabiniere toekeek hoe de meest recentelijk opgenomen patiënt een injectie kreeg voordat de artsen zijn kleding zouden wegknippen. Zen glimlachte vol verlangen naar het verleden. Hij was gaan houden van die fonkelende pijnprikken, even helder glimmend als de net uitgepakte injectiespuiten, vooral wanneer er morfine in zat.

'Dat is hem! Dat is hem!'

De patiënt had zich opgericht en gesticuleerde onbeheerst. Iedereen draaide zich om, maar tegen die tijd waren Zen en zijn afdelingshoofd al niet meer zichtbaar achter het afscheidingsgordijn en even later had de patiënt het bewustzijn verloren.

... Het originele contract stipuleerde duidelijk dat betaling zou plaatsvinden na ontvangst en acceptatie – ik wijs u met nadruk op dit laatste woord – van een geschreven rapport waarin u volledig en nauwkeurig ingaat op uw middelen, methoden en bevindingen.'

'Ik heb u verteld wat u wilde weten.'

'De aanname dat u weet wat "ik wil weten" is impertinent.'

'Maar...'

'Neem nou die foto's,' sprak avvocato Amadori onverstoorbaar verder. 'Ik moet weten waar en wanneer ze werden genomen, met beëdigde verklaringen van geloofwaardige getuigen om voornoemde feiten te staven.'

'Tja, het was in die bar...'

'Heeft de eigenaar van het etablissement schriftelijk toestemming gegeven voor fotografische opnames en latere reproductie en distributie van afbeeldingen van klanten in zijn zaak?'

'Wat?'

'Ik neem aan dat dit nee betekent.'

'Ja, maar...'

'Dus voornoemde afbeeldingen zijn juridisch gezien waardeloos.'

Aan het begin van zijn solocarrière had Tony overwogen 'De hoop om alles te weten, altijd' als zijn slogan te nemen, aldus speels verwijzend naar zijn achternaam. Plus dat hij twee verschillende opzetjes tegen verschillende tarieven had kunnen aanbieden, de Hoop-optie en de Zekerheids-optie. 'Laat ik het zo zeggen, signora Tizia. "Zekerheid" gaat u iets meer kosten, ik zeg het maar eerlijk. Maar zie het als een investering. Uiteindelijk is het dat extra geld dubbel en dwars waard, vooral als u ooit mocht besluiten om die ontrouwe etterbak voor de rechter te slepen.' Ten slotte keurde hij de Hoop-optie af als zijnde te onduidelijk. Nu leek het hem een gouden greep.

'U vertelde me dat u foto's wilde van de schooiervriendjes van uw zoon, avvocato. Ik heb u die geleverd, samen met details over waar hij woont en zijn gangen de afgelopen dagen.'

'Het enige dat u me heeft geleverd is een verzameling foto's van allerlei onaantrekkelijke, in verregaande staat van dronkenschap verkerende jonge mannen. Zonder objectief bewijs van hun vermeende connectie met Vincenzo, anders dan uw woord, zijn ze alleen anekdotisch interessant.'

Geen wonder dat het joch het huis uit wilde, met zo'n vader, dacht Tony.

'En dan is er nog de kwestie van de onkosten die u gemaakt zou hebben. U beweert niet alleen meer dan driehonderd euro uitgegeven te hebben aan "consumpties en diversen", maar u heeft ook de onbeschaamdheid om nog eens vijfhonderdtachtig op te voeren ter dekking van "waardevermindering van beroepsinventaris"!'

'Tijdens mijn onderzoek werd ik overvallen en beroofd van een zeer waardevolle digitale camera, die ik moest vervangen om deze foto's te kunnen maken, evenals van een al even duur pistool.'

'Ik weiger verantwoordelijk gehouden te worden voor verliezen die te wijten zijn aan uw incompetentie.'

'Als u denkt dat ik incompetent ben, avvocato, waarom heeft u me dan ingeschakeld?'

'Om mijn vrouw koest te houden. Dat hele gedoe was haar idee. Wat mij betreft, ik had het best gevonden om onze ondankbare zoon te laten aanmodderen, zodat hij mettertijd zelf zijn dwalingen in zou zien en er zélf duur voor zou moeten betalen. Maar om een schijn van vrede in dit huishouden te bewaren oordeelde ik het beter om te doen alsof ik haar bezorgdheid deelde en een gebaar te maken.

Alleen niet voor het lieve sommetje van bijna vijftienhonderd euro. Na ontvangst en acceptatie door mij van het gedetailleerde rapport, waar ik het eerder al over had, zal ik u een cheque sturen voor het bedrag dat we oorspronkelijk overeenkwamen, plus de afgesproken vijf procent per dag ter dekking van uw diverse onkosten.'

De lijn viel stil. En ook Tony, heel even. Vervolgens pakte hij de fles Jack Daniels die op zijn bureau stond.

De zetel van *Speranza Investigazioni SpA* was gevestigd in een vertrekje aan de achterkant van een gebouw waarvan de juridische status tijdelijk onduidelijk was in afwachting van de uitkomst van een scheidingszaak, die grotendeels berustte op door Tony zelf verzameld bewijsmateriaal. Tony had afgezien van een percentage van zijn honorarium in ruil voor het voorlopig mogen gebruiken van deze ruimte als onderdak voor 'de huisbewaarder', een functie die hij zogenaamd vervulde, met dien verstande dat hij wanneer het bevel kwam bovengenoemd vertrek te ontruimen, hij al vertrokken zou zijn en er om te beginnen ook nooit geweest was. Ondertussen vond Tony de deal iedere cent waard; hij was verrukt geweest toen hij ontdekte dat het nieuwe Europese kleingeld zo heette. Het verschafte hem een beter image, een briefhoofd met een adres in het stadscentrum, een venster op de wereld, en ook de gelegenheid om alles te doen wat hij thuis deed, in zijn appartement in een buitenwijk, alleen nu in de stad zelf.

Ook verschafte het hem een basis voor zijn on-lineoperaties, dankzij een tap op de ADSL-aansluiting in een appartement op de tweede verdieping. 'Als ik er niet van heb gehoord, is het nooit gebeurd,' placht Tony te zeggen. Letterlijk opgevat zou dit maxime alle menselijke kennis gewist hebben, maar in de praktijk betekende het nauwelijks meer dan een gratis abonnement op Headline Alert, een dienst die zijn clientèle bombardeerde met nieuwsfragmenten in ruil voor het mogen verkopen van hun e-mailadressen aan *spammers* die zonder recept verkrijgbare Viagra aanboden tegen sterk gereduceerde prijzen.

Tony, die zich helemaal verslagen voelde door de kribbige arrogantie van zijn cliënt, zette de computer aan, logde in op zijn observatiewebsite en ging snel Vincenzo Amadori's gangen van die dag na, voor het geval dit ter sprake mocht komen tijdens toekomstige onderhandelingen. Ze waren behoorlijk voorspelbaar: thuis tot elf uur, een halfuur in een café en daarna de wandeling naar de universiteit waarvan Tony zelf getuige was geweest. Een uurtje daar, dan weer terug naar het appartement dat hij deelde met Rodolfo Mattioli, het vriendje van dat illegale, lekkere roodharige moppie. Hij nam nu een andere route, door de smalle straten van het oude getto.

Op het beeldscherm flitste LAATSTE NIEUWS onder een foto van een man, gezegend met de uitstraling van een moderne beroemdheid – wat je een ietwat ongemakkelijk gevoel gaf omdat je hem niet meteen herkende. 'Wereldberoemde geleerde en schrijver Edgardo Ugo neergeschoten in Bologna. De aanslag werd gepleegd voor het huis van de professor aan de Via dell'Inferno, midden in de stad, kort na één uur vanmiddag. Het slachtoffer werd met spoed overgebracht naar het ziekenhuis, maar over zijn toestand is nog niets bekend. Eerder vandaag nam professor Ugo deel aan een kookwedstrijd tegen Romano Rinaldi, de ster van het televisieprogramma *Lo Chef Che Canta e Incanta*. Rinaldi, die Ugo van laster betichtte door diens opmerkingen in zijn column in het weekblad *Il Prospetto*, wilde deze kwestie met de wedstrijd uit de wereld helpen. De carabinieri verklaarden er alles aan te doen de huidige verblijfplaats van signor Rinaldi te achterhalen, teneinde hem te kunnen uitsluiten van hun lopende onderzoek.'

Tony voelde een gedachte opkomen, traag en futloos in haar bedwelming. Het kon hem natuurlijk geen bal schelen dat die beroemde kok een of andere professor had neergeschoten. Daaraan viel niets te verdienen voor hem. Toch had iets in dat nieuwsbericht zijn aandacht getrokken. Via dell'Inferno – de Helstraat, in het middeleeuwse getto – kort na één uur die middag... Als de wiedeweerga ging hij terug naar de on-lineobservatiesite en controleerde nogmaals zorgvuldig tijden en lokaties. Asjemenou, dacht hij. Tjonge, tjonge. Tjonge, tjonge, tjonge!

Tien minuten later stond hij in Amadori's kantoor. De receptioniste deed dapper haar best om te doen alsof ze niet al sinds Tony's vorige bezoek over hem had zitten dagdromen, en ze verklaarde vervolgens met een huichelachtigheid die er duimendik bovenop lag dat l'avvocato 'niet aan zijn bureau zat'.

'Al zat hij eronder, schat,' antwoordde Tony. 'Haal hem. En snel.'

Inmiddels zichtbaar met slappe knieën en nauwelijks onderdrukte begeerte, wist de receptioniste nog net uit te brengen dat haar werkgever niet gestoord kon worden en dat Tony wellicht een afspraak wilde maken voor volgende maand.

Tony Speranza nam haar bewonderend op. De juiste leeftijd, dacht hij. Niet die glanzende rauwheid van ongekookte worstjes die het vlees van de jonkies bezat. Dit stuk had precies lang genoeg gehangen. Het vlees was lekker gedroogd zonder dat het vel te rimpelig werd.

'Hoeveel betalen ze je?' zei hij.

'Mi scusi?'

'Laat maar. Mocht je een extraatje willen verdienen, fluister dan de naam Edgardo Ugo in het schelpachtige oortje van je baas.'

'Edgardo Ugo?'

Tony knikte.

'De prominente, en voor zover we weten wijlen, professor Ugo.'

'Waar gaat dit over?'

'Als ik het van je moet specificeren, dan kan ik wel honderd mogelijkheden bedenken. Laten we het erop houden dat Vincenzo Amadori, een jonge voetbalvandaal, die niet geheel en al onverwant is aan je werkgever, op het moment dat professor Ugo werd neergeschoten aanwezig was op de Via dell'Inferno, en dat ik over gedocumenteerd bewijs hiervoor beschik dat in iedere rechtszaal overeind zal blijven. Gesnopen, Wanda?'

De receptioniste bloosde waarachtig.

'Hoe weet u mijn naam?'

Ervoor wakend de geheimen van zijn beroep prijs te geven, zag Tony ervan af om naar de ingelijste foto op de archiefkast te wijzen, waar in een slordig handschrift 'Voor Wanda, veel liefs, Nando' op stond. Een kleerkast met een kip op zijn schouder.

'Hé, soms heeft een mens mazzel! En wij nu ook, Wanda. Want wat ik je net vertelde is waar. Maar tot dusver zijn jij en ik de enigen die het weten. Ik stel me zo voor dat l'avvocato dat graag zo wil houden, wat ons een zekere macht geeft. Kun je me volgen? Dus jij sleurt hem nu terug naar dat bureau van hem, met geweld als het moet, en je doordringt hem ervan dat als een van ons twee de carabinieri deelgenoot maakte van onze exclusieve kennis, deze heren ongetwijfeld een nadrukkelijke uitnodiging naar Vincenzino zouden doen uitgaan om hen bij hun onderzoek behulpzaam te zijn.'

Hij glimlachte en liep naar de deur.

'Jij maakt jouw deal, ik de mijne.'

'Mijn man is bij de politie,' antwoordde Wanda uitdagend.

Hierop lachte Tony alleen maar.

'Geweldig. Laat me weten wanneer hij weer nachtdienst heeft. Gaan wij uit eten en vertellen elkaar hoe we gevaren zijn.'

Hij zat achter een vierdubbele Maker's Mark in de bar die hij 's morgens al met zijn klandizie had begunstigd, toen Amadori belde. Het gesprek liep niet helemaal volgens Tony's verwachting. Niet alleen weigerde l'avvocato botweg geld te bieden in ruil voor Tony's zwijgen, laat staan dat hij over een passend bedrag wilde onderhandelen, maar in één adem ontsloeg hij zijn dienstknecht per direct en dreigde hij Speranza's vergunning om als privédetective te mogen werken te laten intrekken wegens poging tot afpersing.

Voor zijn tweede borrel ging Tony over op Jack Daniels.

Hij had behoefte aan de scherpte ervan om te bedenken wat zijn reactie moest zijn. Dit kostte nog geen vijf minuten. Hierop sloeg hij de bourbon achterover en liep met vastberaden tred naar de kruising met de Via Rizzoli, waar zo'n museumstuk uit een onvoorstelbaar primitief verleden, een telefooncel, werd gehandhaafd bij wijze van cultuurmonument. Tony stapte naar binnen en draaide het nummer van het hoofdbureau van de carabinieri. Hij kreeg een ingeblikte vrouwenstem aan de lijn.

'Welkom bij de carabinieri-informatielijn voor het gewest Bologna. Kent u het toestelnummer van degene die u wilt spreken, dan kunt u rechtstreeks bellen. Om een misdaad te melden, toets 1. U kunt ook nú ophangen en 112 draaien om onze afdeling *pronto intervento* te bereiken. Voor informatie over onze producten en diensten, toets 2. Voor informatie over carrièremogelijkheden bij het korps, toets 3. Om met een medewerker te praten, toets 4 of blijf aan de lijn.'

Dit laatste was wat Tony deed. Hij werd beloond met een eindeloos aanhoudende stilte, op gezette tijden onderbroken door een andere stem die hem vertelde dat zijn telefoontje belangrijk voor de carabinieri was, maar dat alle medewerkers bezet waren en dat de geschatte wachttijd negen minuten bedroeg. Hij smeet de hoorn op de haak en belde de Polizia di Stato. Er werd meteen opgenomen door een man met een knorrig stemgeluid. Tony hield de revers van zijn overjas voor zijn mond en sprak snel in de algemeen beschaafde lokale tongval.

'Luister, ik weet wie die professor vanmiddag heeft neergeschoten. Naam is Vincenzo Amadori, zoon van die advocaat. Kan de mijne niet geven, maar hij is jullie man. Ik heb het bewijs.'

Hij verliet de telefooncel en liep vlug weg. De politie zou het telefoontje eventueel kunnen traceren, maar dankzij zijn handschoenen waren er dan geen vingerafdrukken. Was de gerechtelijke machine eenmaal knarsend in beweging gekomen, dan kon *il grande avvocato Amadori* wel eens besluiten dat hij lichtvaardig had gehandeld met het verwerpen van Tony's oorspronkelijke aanbod. Wanneer de tijd daar was kon hij de beginprijs best verhogen, gewoon om de zelfvoldane klojo bij te brengen dat Tony Speranza niet met zich liet spotten.

De dertig minuten waarbinnen Zen, volgens zeggen, nieuws kon verwachten over Gemma's toestand liepen uit tot een uur en langer. Hij verdeelde de tijd tussen een aantal koppen koffie in een bar tegenover het ziekenhuiscomplex en rookpauzes voor diverse ziekenhuisdeuren. Inmiddels viel er al rap een somber schemerlicht in. Toen hij bij zijn vijfde gang naar de balie, waar de wachtdienst inmiddels door een andere verpleger was overgenomen, ten slotte zijn geduld verloor en eiste onverwijld tot Gemma te worden toegelaten, kreeg hij te horen dat ze er niet meer was.

'Hoe bedoelt u?'

'Ze heeft zichzelf uit het ziekenhuis ontslagen.'

'Waar is ze naar toe gegaan?'

De verpleger haalde zijn schouders op.

'Geen idee.'

'Dan wil ik iemand spreken die wél een idee heeft.'

'En wie bent u, signore?'

Zen besloot dat dit niet het moment was om zich druk te maken om de subtiliteiten van zijn burgerlijke staat.

'Haar echtgenoot.'

'Un momento.'

Het duurde feitelijk wel twintig minuten voordat Zen mocht doorlopen naar een kantoor op de tweede verdieping, waar hij begroet werd door een vermoeid ogende jonge man in een witte jas.

'Signor Santini?' zei hij.

Zen knikte.

'Uw vrouw heeft het ziekenhuis twintig minuten geleden verlaten.'

'En u liet dat toe?'

De arts haalde zijn schouders op.

'We hebben niet de bevoegdheid om patiënten hier vast te houden. Ik had het liefst nog enkele aanvullende onderzoekjes gedaan, maar dat weigerde ze.'

'Waar ging ze heen?'

'Ik heb geen idee. Naar huis, veronderstel ik.'

'Naar huis?'

De arts keek hem bevreemd aan.

'Terug naar Lucca, signore. Waar ze woont.'

'Was ze in de conditie om auto te rijden?'

'Daarover kan ik geen ter zake kundig oordeel geven.'

Zen maakte een kwade hoofdbeweging.

'Als het uw vrouw was geweest, had u haar dan achter het stuur laten plaatsnemen?'

'Nee.'

Zen draaide zich om met een gevoel van totale hulpeloosheid. Hij belde Gemma's mobiel. Geen reactie. Hij liep net de trap naar de hal af, toen hij het gedempte piepen van zijn eigen telefoon hoorde. Zijn hart sprong op. Maar het bleek Bruno Nanni te zijn.

'*Buona sera, capo.* Ik hoorde dat uw vrouw een ongeluk heeft gehad. Wat naar. Die verrekte fietsen zijn soms even gevaarlijk als een auto. Onlangs nog was het bij mij ook bijna raak. Ik hoop dat ze het goed maakt.'

'O, ja. Alleen wat schrammen en builen. Ze is al naar huis.'

'Ah, mooi. En bent u vanavond toevallig vrij?'

'Hoezo?'

'Er is net interessante informatie binnengekomen. Ik wil het niet over de telefoon bespreken, maar het zou potentieel een belangrijk spoor kunnen zijn en ik vind dat u het zo snel mogelijk hoort te weten. Zit het erin dat we elkaar wat later op de avond treffen?'

'Waarom niet? God weet dat ik niets beters te doen heb.'

'In de buurt van de universiteit zit een restaurantje, La Carrozza. Vijf minuten lopen van uw hotel. Niets bijzonders, alleen goede pizza's en eenvoudige gerechten, maar we kunnen daar vrijuit praten.'

'Klinkt goed.'

'Tegen negenen?'

'Ik zal er zijn.'

Maar al weldra zag het ernaar uit dat dit niet zou gebeuren. Toen hij door de ziekenhuishal in de richting van de taxistandplaats liep, werd hij benaderd door een jonge man in burger op z'n allerburgerlijkst, die zich bekendmaakte als officier van de carabinieri.

'U bent vice-questore Aurelio Zen.'

Aangezien het geen vraag was, antwoordde Zen niet.

'Ik heb bevel u in voorlopige hechtenis te nemen en voor ondervraging naar het regionale hoofdbureau over te brengen.'

Zen was zo verbijsterd dat hij alleen kon mompelen: 'Op beschuldiging van wat?'

'Verdenking van poging tot moord.'

Er was een ranzige duisternis ingevallen tegen de tijd dat Romano Rinaldi op pad ging om voedsel voor zijn ziel te zoeken. De kou die de stad al de hele week in haar greep hield leek alleen maar erger geworden, waardoor het heel normaal was dat hij zijn sjaal tot over zijn neus optrok om zich te beschermen tegen gevaarlijke bacteriën en daarmee toevallig ook zijn beroemde gezicht verborg. Hij had zich er zorgen over gemaakt of hij ongemerkt het hotel uit zou kunnen glippen, maar ironischerwijs ging alle aandacht in de lobby uit naar twee verslaggevers die voorgaven rechercheurs te zijn en met intimidatie probeerden de assistent-manager zover te krijgen dat hij hun een loper gaf om signor Rinaldi's suite binnen te komen, en dit maakte dat Romano er in redelijke mate op vertrouwde dat geen van de andere, op het oog doelloos over straat sjokkende voetgangers hem zou herkennen. Wat de kroegen betreft waar hij op jacht wilde gaan, die waren toch ternauwernood verlicht en bomvol studenten, verslaafden, kunstenaars, anarchisten en meer van dergelijk demografisch wrakhout, dat echt niet tot de kern behoorde van het kijkerspubliek van *Lo Chef Che Canta e Incanta*. En zodra hij zich weer lekker voelde, smeerde hij hem naar die villa in Umbrië, om nooit meer naar deze vervloekte stad terug te keren.

Hij liep bedaard door de smalle straten van de universiteitsbuurt en inspecteerde diverse lokaties met serieuze aandacht. Heel even dreigde hij te vallen voor een pizzeria annex snackbar, La Carrozza, waar een met de hand geschreven bordje met DRINGEND GEZOCHT: KEUKENHULP VOOR TIJDELIJK voor de ruit hing, en die bezocht werd door precies het soort mensen waarnaar hij op zoek was. Maar er werd uitsluitend aan de tafeltjes bediend, en zat je er eenmaal dan werd het type benadering dat hij in gedachten had problematisch. Bovendien zou hij zijn sjaal opzij moeten schuiven om iets te kunnen eten of drinken. Te riskant, vond hij.

Een of twee bars zagen er ook aannemelijk uit voor zijn doel. In het bijzonder een verduisterde, blauw van de rook staande kroeg waar jongeren van allerhande seksen met etnisch ogende, gebreide mutsen met oorflappen op barkrukken naar Amerikaanse populaire muziek zaten te luisteren onder posters waarop *Il popolo di Seattle* werd toegejuicht en de Wereldhandelsorganisatie aan de kaak gesteld. Maar de tent ademde zo ongeveer de sfeer van een besloten club. Hij zou er de oudste zijn en veel te veel opvallen.

Uiteindelijk vond hij wat hij zocht op de Via Zamboni, de belangrijkste straat in de wijk. Het was zo'n 'Ierse pub' die tegenwoordig in heel Italië als paddestoelen uit de grond rezen. Cluricaune, zoals deze heette, was iets enorms met twee verdiepingen, waar het tjokvol zat met veelbelovende slachtoffers. Rinaldi vocht zich een weg naar de bar en bestelde een wodka-martini. Hoewel het er vol hing met posters en vol stond met beeldjes van kabouters uit Ierse sprookjes, beperkte het gebruik van de Ierse taal zich tot de naam van de zaak. Bijzonderheden over de te verkrijgen cocktails en bieren en over het happy hour alhier, dat nu in volle gang was, waren allemaal in het Engels.

Met zijn borrel in de hand schoof Rinaldi, goed om zich heen kijkend, door de verzamelde menigte. Al na enkele ogenblikken viel zijn oog op een jongeman die helemaal aan de andere kant van de bar stond, leunend op zijn ellebogen, het hoofd gebogen en met een leeg glas voor zich. Hij droeg een zwartleren jack met op de rug iets wat op een wapen leek en hij zag er dronken en erg gedeprimeerd uit. Rinaldi werkte zich door de massa heen en stelde zich links van de man op, dichtbij genoeg om zijn aandacht te trekken maar ook weer niet zo dichtbij dat hij aanstoot gaf. Hij liet zijn sjaal zakken, het ding smoorde hem onderhand. In één teug dronk hij toen zijn glas leeg en gaf het barmeisje een seintje.

'Een grote wodka-martini,' zei hij. 'En schenk mijn vriend hier er ook een in.'

Zonder zijn hoofd op te tillen keek de jongeman hem heel even van opzij aan.

'Sono rovinato,' zei hij toonloos.

'Geruïneerd?' echode Rinaldi. 'Nou, misschien kan ik je helpen.'

Hij wachtte tot het barmeisje kwam en ging, voordat hij met een paar grote bankbiljetten naar de jongen zwaaide.

'Goede kwaliteit *coca,*' zei hij. 'De beste op de markt, hoe meer hoe beter, en meteen. Als jij me niet kunt leveren, zit er een honderdje voor je in als je me in contact brengt met iemand die dat wel kan.'

Aanvankelijk reageerde de jongen niet. Ik heb de verkeerde eruit gepikt, dacht Rinaldi, die zijn sjaal weer omhoogschoof en aanstalten maakte om op te stappen. Met een vermoeide zucht richtte zijn buurman zich plots op, leegde zijn glas en lachte ruw.

'Tuurlijk kan ik dat. Wat maakt het nog uit? Ik zal wat rondbellen.'

Hij ging staan en maakte daarbij, volkomen uit balans, een schuiver opzij. Hij omklemde Rinaldi met twee armen om niet te vallen. Ze hielden elkaar wel een halve minuut vast, als waren ze minnaars, voordat het de jongeman lukte om op zijn eigen benen te staan, zij het dat hij alarmerend stond te zwaaien.

'Ik ben zo terug,' zei hij uitdagend.

Rinaldi had hierover zo zijn twijfels, maar de knul had geen geld vooruit gevraagd, dus in het ergste geval kostte dit contact hem een beetje tijd en de prijs van een drankje. Hij koesterde zijn glinsterende cocktailglas en staarde verveeld naar de tv die op steunen boven de bar stond. Er was een spelletjesprogramma aan de gang en aan de onderkant van het scherm rolde een regel met nieuwskoppen voorbij. Zijn drankje slurpend, keek Rinaldi passief naar de gnomische vermeldingen die over het scherm dansten van gruweldaden in het Midden-Oosten, binnenlandse politieke twisten en de transfer van een voetbalster. En opeens liet hij bijna zijn glas vallen. Hij meende zijn eigen naam gezien te hebben. Maar dat item was inmiddels van het toneel verdwenen en voordat het weer verscheen moest hij wachten tot de hele dansgroep zijn nummer opnieuw had afgewerkt.

Toen dit ten slotte gebeurde, wikkelde hij de sjaal om zijn gezicht en liep zo snel als de samengepakte mensenmenigte dit toeliet naar de uitgang.

'Beroemde auteur professor Edgardo Ugo neergeschoten in Bologna na kookduel met ster van *Lo Chef Che Canta e Incanta*. Politie rekent op snelle arrestatie.' Dit droom ik maar, dacht Rinaldi toen hij met gebogen hoofd door de tunnel van de lange zuilengaanderij liep. De muur en de pilaren hingen vol met handgeschreven oproepen 'Gezocht', die nu bij hem een heel andere associatie opriepen dan het onschuldige zoeken naar een kamer of een baantje. En wie weet waren die twee mannen die hem in het hotel te pakken hadden willen krijgen uiteindelijk toch geen journalisten geweest.

Maar het moest makkelijk zat zijn om zijn onschuld te bewijzen. Vanaf het beurs- en congrescentrum was hij regelrecht naar zijn hotel gereden en daar de hele middag gebleven. Niet alleen had hij Ugo niet neergeschoten, het was niet eens mogelijk geweest. Hij hoefde zich nergens zorgen om te maken.

Een ogenblik later besefte hij dat hij absoluut niet kon bewijzen dat hij aldoor in zijn kamer was gebleven. Hij had de deur op slot gedaan, de telefoon afgezet, het management opdracht gegeven alle bezoek de toegang te ontzeggen en niemand had hem gezien of gehoord, tot hij Delia ten slotte sommeerde hem wodka te brengen, wat heel wel de indruk kon wekken dat hij op het allerlaatste moment had getracht voor een alibi te zorgen. Wat die smerissen betrof, vormde zijn publieke vernedering die ochtend natuurlijk een fantastisch motief. Bezat iemand anders zo'n goede reden om Ugo juist die dag neer te schieten? Indien nee, dan werd hij onvermijdelijk de hoofdverdachte. En hoe dat uiteindelijk ook afliep, zijn arrestatie op dit cruciale moment zou werkelijk het einde van alles betekenen. Zelfs Delia zou hem niet onder beschuldiging van moord uit weten te kletsen.

'Nou, m'n beste Aurelio, je hebt ons weer eens lekker in de nesten gewerkt.'

De spreker was een in vol ornaat gestoken majoor bij de carabinieri, die Zen ietwat verbaasd herkende als Guido Guarnaccia, een stadgenoot van hem uit Venetië. Vele jaren geleden diende hij bij de carabinieri in Milaan, toen ook Zen in die stad gestationeerd was. Indertijd hadden ze beroepsmatig met elkaar van doen gehad en zelfs iets wat op een vriendschap leek met elkaar ontwikkeld, maar toen Zen werd overgeplaatst – ironischerwijs naar Bologna – verloren ze elkaar uit het oog.

Guarnaccia gebaarde de arrestant plaats te nemen op een stoel en stuurde diens begeleider weg. Zelf bleef hij achter zijn bureau staan.

'En hoe gaat het met de kinderen?' vroeg hij na een ongemakkelijke stilte.

'Ik heb geen kinderen.'

'Ach. Juist.'

'Hoewel ik misschien binnenkort grootvader word.'

Guarnaccia staarde hem aan.

'Substituut,' legde Zen uit.

'Ach, substituut. Substituut. Juist. Juist.'

Opnieuw trad er een stilte in.

'En de jouwe?' vroeg Zen.

Guarnaccia negeerde dit.

'Je hebt me in een nogal lastige positie gebracht, Aurelio.'

'Werkelijk?'

'Ja. Heel erg lastig.'

'Dat spijt me.'

'Tja, aan spijt hebben we niet veel...'
Guarnaccia maakte zijn zin niet af.
'Luisetta is vorig jaar getrouwd,' zei hij.
'Gefeliciteerd,' antwoordde Zen, zonder er het minste idee van te hebben wie Luisetta was.
'Met een fotojournalist uit Madrid.'
'Ach.'
'Ze gaan Spaans spreken.'
'Thuis?'
'Nee, de kinderen.'
Guarnaccia slaakte een diepe zucht.
'Ik veronderstel dat je weet dat professor Edgardo Ugo vanmiddag werd neergeschoten.'
'Heb ik gehoord, ja.'
'De kogel raakte een beeldhouwwerk of zoiets voor zijn huis, ketste af en kwam terecht in de arme man zijn linkerbil. Hij is ernstig gewond en lijdt veel pijn.'
'Wat heb ik daarmee te maken?'
'Het slachtoffer beweert dat hij kort voordat de schietpartij plaatsvond betrokken was bij een ongeluk, een straat verderop. Hij had college gegeven op de universiteit en fietste naar huis, toen er een vrouw een restaurant uit kwam hollen en tegen hem op botste. Beiden kwamen ze ten val. Volgens het slachtoffer kwam er toen ook een man het restaurant uit, die zich identificeerde als Aurelio Zen van de Polizia di Stato en deze dreigde ermee Ugo in hechtenis te nemen wegens gevaarlijk rijgedrag. Is dit waar?'
Zen beperkte zich tot een bevestigend hoofdknikje.
'Ugo zegt dat je vervolgens om een ambulance belde. Toen die arriveerde, gaf je Ugo te verstaan dat je nu niet tot arrestatie kon overgaan, omdat je je vriendin naar het ziekenhuis moest begeleiden. Maar je dreigde "verdere stappen te zullen ondernemen" mocht blijken dat ze ernstig gewond was. Volgens Ugo's verklaring echter, stapte je niet in de ambulance toen die vertrok, maar volgde je Ugo naar diens huis, alwaar de schietpartij enkele minuten later plaatsvond. Aangezien hij met zijn rug naar zijn aanvaller toe

stond, kon hij hem niet identificeren. Maar de gevolgtrekking mag duidelijk zijn.'

Zen moest een beetje lachen.

'Guido, ik ben een vice-questore met een speciale opdracht van het ministerie in Rome. Ik loop niet met pistolen te zwaaien.'

Guarnaccia produceerde een delfisch lachje.

'Ja, ik had al gehoord dat je het erg ver geschopt hebt.'

'Jij ook.'

'Ondanks mezelf. Ik heb het gewoon langer uitgehouden dan de concurrentie. Maar goed, voor alle duidelijkheid: jij ontkent dat je gewapend was op het moment dat dit voorval plaatsgreep?'

'Ik draag al jaren geen wapen meer. En mocht er reden zijn dat ik een wapen nodig had, dan zou ik het betrekken van het magazijn op het ministerie, alwaar dit keurig geregistreerd zou worden. Eén telefoontje volstaat om te bewijzen dat ik dit niet gedaan heb.'

'Waar was je de avond waarop Curti werd doodgeschoten?'

Zen herinnerde zich dat het zijn vroegere kennis, ondanks diens lauwe manier van doen, niet had ontbroken aan een zekere stroperige intelligentie.

'Dinsdagavond?' antwoordde hij. 'Kwam ik terug uit Rome. Waarom?'

'Omdat het ernaar uitziet dat de kogel die Ugo raakte met hetzelfde wapen werd afgeschoten als dat waarmee Curti werd gedood. Helaas was de kogel te zeer beschadigd door het contact met het beeld om veel forensische data op te leveren, maar de patroonhuls is een volmaakte treffer.'

Zen lachte, alsof hij dapper probeerde mee te gaan in het bizarre en ietwat akelige gevoel voor humor van zijn gastheer.

'Nou, in dat geval ben ik brandschoon! Op het tijdstip van de moord op Curti zat ik in de trein tussen Rome en Florence.'

'Kun je hiervoor getuigen leveren?'

'Getuigen? Natuurlijk niet. Ik bedoel, er zaten andere mensen in de trein. Hoewel, niet veel. Ik heb een broodje ham of zoiets gekocht in de restauratiewagen. Degene die daar dienst had herinnert zich mij misschien nog, hoewel ik dat betwijfel. Kleine brunette. Uniform stond haar niet. Beter gezegd, zij stond het uniform niet. Vast ontworpen door een misogyne nicht in Trastevere, die heeft bedacht dat er dit jaar geen tieten worden gedragen. Ik heb niet op haar naam gelet, maar...'

'Zoals ik het zie,' viel Guarnaccia hem in de rede, 'zijn er drie problemen. Ten eerste, in afwachting van een beslissend forensisch onderzoek, duidt alles erop dat het gebruikte wapen bij de moord op Curti en bij de aanslag op Ugo vrijwel zeker één en hetzelfde is. Ten tweede, Ugo's verklaring, die coherent en belastend is en door jou wordt bevestigd, voorziet op z'n minst in de schijn van een motief.'

Hij pauzeerde om een sigaret op te steken en mogelijk ook voor het effect.

'En het derde probleem?' vroeg Zen, die zijn verfomfaaide pakje Nazionali voor den dag haalde.

'Ah!'

Guarnaccia's lippen krulden zich wederom raadselachtig. Hij moest verzot zijn op die glimlach, dacht Zen. Wie weet oefende hij hem iedere ochtend na het douchen voor de badkamerspiegel.

'Het derde probleem is dat je bij de politie zit.'

Zen savoureerde zijn sigaret gedurende een genotvol moment en toen lachte hij een beetje.

'Drijf je de onderlinge korpsrivaliteit nu niet een beetje op de spits, Guido?'

'Dit is niet iets om grappen over te maken,' antwoordde Guarnaccia met een ondertoon van bitterheid in zijn stem. 'Ik duid hier op de golf seriemoorden die tussen 1987 en 1994 plaatsvond in en rond Bologna; de zogeheten Uno-Biancaslachtingen. Vierentwintig slachtoffers in totaal, waarvan er zes carabinieri waren. Naar het scheen werden ze willekeurig gekozen en neergemaaid door een bende mannen in een witte Fiat Uno. De complottheoretici geloofden natuurlijk dat het weer een *segreto di stato* was, net zoals de bom in de wachtkamer van het station; een complot van rechts om de politieke situatie te destabiliseren en het "rode" Bologna te straffen. Anderen, onder wie ikzelf, dachten en denken ook nu nog dat het gewoon om een bende moordzuchtige maniakken ging die het voor de kick deden. Maar om het even hoe het feitelijk zat, toen de bende ten slotte werd gevangen, bleken er vijf leden van jullie korps bij te zitten. Sterker nog, de leider, Roberto Savi, was op dat moment de tweede man op de questura hier in Bologna. Het zal daarom nauwelijks verbazing wekken dat de *Procura* ons dit onderzoek heeft toegewezen en evenmin dat ik, op grond van de zojuist genoemde punten, niet anders kon doen dan je voor verhoor te laten oppakken.'

Zen maakte een verzoenend handgebaar.

'Dat begrijp ik, Guido, en ik zal naar mijn beste vermogen samenwerken. Beter nog: de Viminale stuurde mij hier speciaal naar toe om verslag uit te brengen over het onderzoek in de zaak-Curti. Dat komt helemaal overeen met de complottheorie van de Procura.'

'Waarom vergezelde je je vriendin, signora Santini, niet in de ambulance, zoals je tegen Ugo gezegd zou hebben te zullen doen?'

'De ambulancebroeders zeiden dat er geen plaats was en dat ik maar een taxi moest nemen. Met artsen ga je niet in debat.'

Dit klonk plausibel, maar feitelijk was het de eerste leugen die Zen Guarnaccia vertelde. Gemma zelf had per se niet gewild dat Zen met haar meereed in de ambulance. 'Hij is mijn man niet!' bleef ze maar roepen, tot grote verlegenheid van allen. 'Dat heb ik hem verteld en toen schreeuwde hij dat ik weg moest wezen! Daarom is dit gebeurd. Houd hem uit mijn buurt!'

'Ugo beweert dat je hem gevolgd bent.'

'Misschien ben ik dezelfde kant uit gelopen. Ik heb niet op hem gelet. Het was gewoon de snelste weg naar de taxistandplaats bij Piazza Maggiore. Ik wilde bij mijn vrouw zijn, meer zit er niet achter.'

'Volgens wat mij is gerapporteerd, ontkende signora Santini – met enige heftigheid, naar ik meen – jouw echtgenote te zijn.'

'Tja, strikt genomen is ze dat ook niet, maar...'

Er volgde een gegeneerde stilte, waarin ze allebei wachtten om te zien of Guarnaccia dieper zou ingaan op dit punt. Uiteindelijk koos hij echter voor een andere koers.

'Hoe lang duurde het voordat je een taxi kreeg?'

'Weet ik niet. Een minuut of tien.'

'Dus ook nu weer heb je geen alibi voor het tijdstip van de schietpartij.'

Zen haalde ongeduldig zijn schouders op om aan te geven dat hij dit een vervelende grap vond en dat het nu wel lang genoeg had geduurd. De hieruit voortvloeiende stilte werd doorbroken door het gerinkel van de telefoon. Guarnaccia nam op en luisterde gedurende enige tijd zonder zelf iets te zeggen. Onmiddellijk daarna keek hij Zen aan met dat lachje waar hij patent op had.

'Nou, Aurelio, je hebt geluk. Dat was Brunetti van de questura. Ze schijnen een anoniem telefoontje gekregen te hebben waarin de naam werd genoemd van de man die Ugo neerschoot. De informant beweert tevens over het bewijs hiervoor te beschikken.'

'Wat voor bewijs?'

'Dat zei hij niet.'

'En hoe zit het nu tussen ons?'

'Dit zet de zaak in een ietwat ander licht. Uiteraard heb ik zelf nooit gedacht dat je schuldig was, maar na Ugo's beschuldiging kon ik het niet maken om geen actie te ondernemen. Gelet op de veranderde situatie echter, vind ik dat ik mijn discretionaire bevoegdheid mag aanwenden om je in vrijheid te stellen; op voorwaarde dat je belooft Bologna voorlopig niet te verlaten. Akkoord?'

Zen dacht aan het koude bed dat hem in Lucca wachtte.
'Ik vind het uitstekend om hier te blijven, zolang als je maar wilt,' antwoordde hij.

Rodolfo Mattioli zat op een ongemakkelijk harde stoel in de wachtkamer op de derde verdieping van het ziekenhuis, naast een tafel met daarop een stapel, door andere handen zwaar beduimelde tijdschriften. Hij droeg een pak, zijn beste overhemd en stropdas en hij had zijn schoenen gepoetst.

Die middag had hij urenlang doelloos door de stad gelopen en in allerlei bussen rondgereden voordat hij ten slotte in Cluricaune belandde, waar hij werd benaderd door een oude zak met een baard, die cocaïne wilde scoren. Normaal gesproken zou Rodolfo zich nooit met zoiets hebben ingelaten, vooral niet met een onbekende die best eens van de narcoticabrigade kon zijn, maar na wat hij al had uitgehaald, leek niets er nog toe te doen. Aan de bar had hij een bijnaval gesimuleerd en toen hij die vent op het oog vastgreep om overeind te blijven, had hij zich niet alleen ontdaan van het bezwarende pistool door dit in de overjaszak van zijn potentiële klant te laten glijden, maar ook diens uitpuilende portefeuille gerold. Daarna verliet hij de bar en was hij teruggerend naar het appartement dat hij met Vincenzo deelde.

Van laatstgenoemde geen spoor. Rodolfo trok het geleende leren jack uit, smeet het op de bergen kleren waarmee de vloer in Vincenzo's slaapkamer bestrooid lag, nam toen snel een douche en trok zijn fatsoenlijkste plunje aan. Hij wist nu heel stellig wat hem te doen stond, en er was geen tijd te verliezen. Hij stond net op het punt te vertrekken, toen zijn mobiel overging.

'Ik zit diep in de stront, Rodolfo,' verklaarde een doffe stem vol zelfbeklag. 'Dat stelletje duffe ouders van me heeft net gebeld. Kennelijk hebben die achterlijke hufters een privédetective ingehuurd om erachter te komen waar ik woonde en wat ik deed. En nu probeert die vent ze te chanteren, want hij beweert bewijs te hebben dat ik een misdaad heb gepleegd.'

'Wat voor misdaad?'

'Het is niks dan gelul, natuurlijk. Maar met míjn reputatie zitten de wouten meteen achter me aan, als hij dat verhaal daar ook ophangt. Dus ik moet effe onderduiken.'

'Klinkt allemaal een beetje vreemd, Vincenzo. Ben je high?'

'Nee! Dit gebeurt echt, gvd! En waar ik vooral de tering in heb is dat het allemaal de schuld is van die stinkouders van me. Maar, zoals ik net zei, ik moet me een poosje goed schuilhouden. Alleen heb ik wat spullen nodig en ik waag het er niet op om terug te gaan naar huis. Kun jij me vanavond treffen met een zak kleren en een extra paar schoenen?'

'Waar?'

'Maakt me niet uit.'

Rodolfo dacht even na.

'Ken je een tent die La Carrozza heet? Tegenover de San Giacomo.'

'Ik vind het wel.'

'Na negenen ben ik er, met je spullen.'

Typisch Vincenzo, dacht Rodolfo toen hij ophing. Hij had geheid drugs gebruikt waarvan hij nu paranoïde was, ook al ontkende hij dat. Als er al smerissen naar hun appartement kwamen om vragen te stellen, dan zouden die vragen over hem gaan en niet over Vincenzo.

Maar zover zou het niet komen, want hij zou ze vóór zijn door een volledige en eerlijke bekentenis af te leggen tegenover het slachtoffer voordat hij zich ging aangeven bij de politie, meteen nadat hij vanavond Flavia had gezien. Aan de telefoon had ze voorzichtig, bijna koel geklonken. Dat viel te begrijpen na hoe hij haar gisteravond had behandeld. Maar ze had erin toegestemd hem vanavond te ontmoeten in La Carrozza. Het zou hem zwaar vallen afscheid van haar te nemen, bijna even zwaar als de onvermijdelijke gevangenisstraf die hij zou moeten uitzitten, maar er bestond geen andere manier om definitief een punt te zetten achter de gekte die hem de afgelopen paar dagen had meegesleurd.

Achteraf gezien had Flavia misschien wel gelijk toen ze zei dat Vincenzo een slechte invloed op hem had, moest Rodolfo toegeven. Voor zijn doen was zijn eigen gedrag onherkenbaar geweest, dat stond vast. Allereerst dat hij het pistool meenam dat hij in zijn kamer, achter zijn boeken verstopt, had aangetroffen. En daarna was hij Edgardo Ugo vanaf de collegezaal in het universiteitsgebouw gevolgd naar diens huis in het voormalige getto. Even zag het ernaar uit dat zijn plan gedwarsboomd werd door het ongeluk waarbij Ugo betrokken raakte, toen er een vrouw een restaurant uit kwam rennen en tegen zijn fiets op liep. Uiteindelijk was het echter allemaal volgens plan gegaan. Nou ja, bijna allemaal.

Buiten zijn onderkomen in de stad had Edgardo Ugo een kunstwerk laten (her)scheppen en zodra hij de kans kreeg verhaalde hij uitvoerig over het verheven idee erachter tegenover iedereen die maar wilde luisteren – en onder hen bevonden zich noodzakelijkerwijs al zijn doctoraalstudenten. Het huis links van het zijne stond iets buiten de rooilijn van de straat, zodat er pal naast Ugo's voordeur een donkere hoek was, waar dronkenlappen en daklozen plachten te urineren. Een invloedrijk man als Ugo zou de gemeentelijke autoriteiten stellig hebben kunnen overhalen om de hoek af te schermen met een metalen hek, zoals doorgaans werd gedaan in geval van een dergelijk illegaal gemak. In plaats daarvan echter had hij een hem typerende geestige en post-postculturele oplossing verzonnen.

Marcel Duchamps 'ready made' Fountain uit 1917, bestaande uit een in massa geproduceerd urinoir van geglazuurd keramiek dat om zijn horizontale as gedraaid was neergezet, had langdurig gegolden als een icoon van de modernistische beweging in de kunst. Nu bestond Ugo's geniale inval eruit dat hij deze betekenaar op zijn beurt onderworpen had aan een volgend stadium van semiotische transformatie (aldus het proces van 'onbeperkte semiose' demonstrerend en Lacans 'verschuivende betekenaar') door de Fountain te laten reproduceren in het allerfijnste witte Carrara-marmer en te laten polijsten tot het glom en blonk als de beelden van Antonio Canova – oftewel als een in massa geproduceerde, geglazuurde pisbak. Evenals Duchamps 'origineel' had hij het voltooide werk negentig graden gekanteld gemonteerd, in de smerige hoek waar zwervers clandestien kwamen pissen. Maar dankzij deze lieden functioneerde dit object letterlijk als een fontein, want de urine stroomde uit de opening voor de spoelwaterpijp over de broek en schoenen van het schoelje.

Toen Rodolfo met het pistool schoot terwijl Ugo met zijn rug naar hem toe stond om zijn voordeur te openen, was dit beeldhouwwerk zijn beoogde doel geweest. Het was bedoeld als een zuiver symbolisch gebaar, een manier om te zeggen: 'Rot op jij, met je slimme grapjes en alles waarvoor je staat!' Maar de kogel schampte af op het gepolijste marmer en moest toen ergens in Ugo's lichaam terechtgekomen zijn. Het slachtoffer slaakte een gil en viel, terwijl Rodolfo het hazenpad koos.

Er kwam een verpleegster de wachtkamer binnen.

'Professor Ugo kan u nu ontvangen,' zei ze tegen Rodolfo.

Met gebogen hoofd, als een man op weg naar de galg, volgde hij haar door een lange gang. De verpleegster klopte zacht op een deur.

'Signor Mattioli is er.'

'*Va bene,*' klonk een bekende stem vanuit de kamer.

De verpleegster verwijderde zich.

'Ach, Rodolfo,' zei Ugo met zwakke stem. 'Wat sympathiek dat je me komt opzoeken. Uitgerekend jij.'

De kamer was vrijwel in duister gehuld. Na de felle lampen in de wachtkamer en de gang kon Rodolfo niets onderscheiden.

'Integendeel, *professore*, het is sympathiek van u dat u me wilt ontvangen,' antwoordde hij onzeker. 'Het spijt me dat ik u stoor, maar... Uh, ik ben gekomen om een onmogelijke maar noodzakelijke poging te doen me te verontschuldigen voor...'

Dit ontlokte een zachte lach aan de figuur op het bed, die Rodolfo pas nu als zodanig kon identificeren.

'Wat een onzin,' zei Ugo.

Oftewel wie maalt er om jouw verontschuldigingen als ik je toch laat arresteren zodra je hier vertrekt, dacht Rodolfo.

'Ga zitten, ga zitten!' sprak Ugo verder. 'Er staat iets wat op een stoel lijkt in de hoek van de kamer, geloof ik. Zij die boven mij gesteld zijn, hebben mij gelast om op mijn rechterzij te liggen. Ik kan me dus niet omdraaien om je aan te kijken, maar dat belet ons niet wat te praten.'

Rodolfo vond de stoel en nam plaats.

'Giacometti,' klonk het.

'Alberto?' informeerde Rodolfo, die niet wist wat hij hiermee aan moest.

'Wat weet je over hem?'

Rodolfo tastte zijn geheugen af.

'Italiaanse Zwitser, beeldhouwer en schilder, geboren rond 1900. Overleed ergens in de jaren zestig van de twintigste eeuw, meen ik. Beroemd om zijn geëtioleerde figuren die, volgens sommige exegeten, de pijn van het leven verbeelden.'

Weer lachte Ugo, harder en langer dit keer.

'Bravo! Jij bent altijd mijn beste student geweest, Rodolfo, hoewel ik je dat natuurlijk nooit verteld heb. Tenzij misschien door je de toegang tot mijn werkgroep te ontzeggen.'

'Daarvoor wil ik ook mijn verontschuldigingen aanbieden. Onvoorwaardelijk en zonder enig voorbehoud. Volgens mij ben ik de afgelopen tijd een beetje gek geworden, maar weet u...'

Opeens hield hij zijn mond.

'Ja?' vroeg Ugo.

Rodolfo aarzelde lang voordat hij antwoord gaf.

'Ik geloof dat ik verliefd ben, professore,' hoorde hij zichzelf zeggen.

'Ach. In dat geval zal ik je niet lang ophouden. Maar om terug te komen op Giacometti, wat jij misschien niet over hem weet is dat hij tijdens zijn Parijse jaren door een bus werd aangereden toen hij een weg overstak. Een vriend die bij hem was, tekende later op dat de eerste woorden van de kunstenaar na het ongeluk waren: "Eindelijk is er iets met me gebeurd!" Ik heb dit altijd een mooi verhaal gevonden, al begreep ik nooit wat Giacometti bedoelde met die opmerking. Maar nu wel, misschien omdat er eindelijk iets met mij is gebeurd.'

Hij verviel in een zwijgen dat Rodolfo niet probeerde te verbreken.

'Ik denk over het schrijven van een boek,' zei Ugo ten slotte. 'Al jaren, bedoel ik. Cornell, begin jaren tachtig. Prachtige campus, fantastische bibliotheek. Een naslagwerk in het Engels. Ik heb nooit kunnen onthouden welk.'

'De *Anglo-American Cyclopedia,*' antwoordde Rodolfo zonder nadenken.

Even later begon Ugo hartelijk te lachen en daarna te kermen. 'Au! Ja, ja, uitstekend. Borges' Uqbar. Maar dit was niet het zesenveertigste deel van iets. Veel eerder in de alfabetische reeks van *voci*. Het heette, met gouden blokletters op de rug, *Back to Bologna*, als zijnde het eerste en het laatste trefwoord in dat deel.'

'Een compleet toevallige zin.'

'Volkomen. Misschien herinner je je de drukte die Zingarelli over zich heen kreeg toen er in de elfde editie van hun woordenboek op een pagina vetgedrukt *masturbazione* als titelwoord stond. Maar goed, de meeste delen van het werk dat ik op Cornell in de boekenrekken zag staan waren betiteld met zinnen zonder betekenis. *How to Hug*, bijvoorbeeld. Belachelijk.'

'Dat weet ik zo net nog niet.'

Ugo's lachje, hoewel niet te zien, was hoorbaar.

'Tja, jij zou daarvan natuurlijk beter op de hoogte kunnen zijn dan ik. In ieder geval heeft die ervaring me twee dingen doen beseffen. Allereerst het voor de hand liggende feit dat ik heimwee had. Ik zat vast met mijn onderzoeksproject en de enige manier waarop ik er nog iets van kon redden was teruggaan naar Bologna.'

'En dat deed u?'

'Ik kwam naar huis, ja. En ik schreef het boek dat, naar bleek, mijn carrière op gang bracht. Wat ik niet schreef was het tweede dat in me opkwam door dat naslagwerk in de bibliotheek op Cornell, namelijk *Terug naar Boulogne,* een speurdersroman waarin de rechercheur niets oplost. Als protagonist had ik een zekere inspecteur Nez in gedachten, spelend met het Franse woord voor neus, zoals in "heeft een neus voor" maar ook "bij de neus nemen". Kortom tegelijk een deconstructie van de realistische roman met de dwangmatige plot én een hommage aan Georges Simenon, de leermeester van Robbe-Grillet en dus in zekere zin van ons allemaal. Met andere woorden, massa's sfeer en couleur locale maar geen oplossing, alleen één sterke slotzin.'

Rodolfo wierp een steelse blik op zijn horloge.

'Waarom de couleur locale ook niet naar de schroothoop verwezen?' mompelde hij.

De patiënt bleef even stil.

'Zoals in de late romantische verhalen van Shakespeare, bedoel je?'

'Waarom niet?'

'Gesitueerd in een denkbeeldige omgeving met een naam als Illyria of Bohemia of...'

'Ruritanië.'

'Die is al gebruikt.'

'Tuurlijk, het hele punt is dat alles al eens is gedaan.'

Professor Ugo zweeg enige tijd. Toen hij weer het woord nam sprak hij beslist op zakelijker toon.

'Mogelijk. In elk geval, de reden dat ik de verpleegster toestemming gaf je binnen te laten, Mattioli, was dat ik je een besluit bekend wilde maken omtrent het gebeurde.'

Rodolfo zuchtte. Hier komt het, dacht hij.

'Ik weet gewoonweg niet wat ik moet zeggen, professore. Verontschuldigingen schieten duidelijk tekort. Niemand zou kunnen vergeven wat ik u heb aangedaan.'

'Dat lijkt me ietwat overdreven,' antwoordde Ugo. 'Maar al zou ik het niet kunnen vergeven, vergeten kan ik het op zijn minst. Feitelijk heb ik het je al vergeven. Dus kom terug naar de werkgroep, schrijf je scriptie en haal je bul. Je bent een intelligente, zij het bepaald directe jongeman met nog een heel leven voor zich, een leven waarin er veel dingen met je zullen gebeuren. Misschien is er al iets met je gebeurd. Ik meen dat je zei dat je verliefd was.'

'Ik geloof dat ik dat ben, ja.'

'Het verschil is gradueel. En nu moet ik je vragen te vertrekken. Ik ben nog vrij zwak, maar volgens de artsen ben ik volgende week wel weer op de been, zij het niet op de bil. Dus ik verwacht je dan op college te zien. Begrepen?'

Rodolfo begreep het niet in het minst.

'Grazie infinite, professore,' zei hij en verliet de kamer.

Na zijn voorwaardelijke vrijlating uit de klauwen van de carabinieri had Zen behoefte aan een borrel. Hoewel hij er ook weinig voor voelde om terug te gaan naar die bar vlak bij zijn hotel, want afgaand op wat daar aan trofeeën en plaquettes was uitgestald, bestond de helft van de clientèle daar uit hoge officieren van de questura. Hij had zijn portie smerissen wel gehad voor één dag.

Uiteindelijk ontdekte hij bij toeval het perfecte toevluchtsoord, in een zijstraat ergens bij de markt. De klanten waren afkomstig uit een veel bredere sociale kring dan die in Il Gran Bar en minder geïnteresseerd in het tonen van hun status en distinctie dan in geanimeerd kletsen, hartstochtelijk drinken en opschrokken van het verbazingwekkende assortiment hapjes dat hoog opgetast stond op de bar: glinsterende blokjes romige mortadella, stevige stukken knapperige varkensbraadkorst en grillige brokken goudgele *stravecchio* parmezaan. De Lambrusco was van het steeds schaarser wordende authentieke soort, ongefilterd en in de fles gefermenteerd. Op deze gure avond, waarop de ijskoude smog in de straten niet slechts een meteorologisch feit leek maar een kwaadaardige aanwezigheid, verschafte zijn dieprode schuim het aangename gevoel dat er meer in het leven was dan ziekenhuizen, politiebureaus en ontrouwe geliefdes.

De meeste mensen kennen de tijdelijke euforie veroorzaakt door enkele glazen wijn, maar slechts een enkeling zal beweren dat deze ervaring zijn huwelijk heeft gered. Voor Zen evenwel zou dit laatste wel eens kunnen opgaan, want toen zijn telefoon overging verkeerde hij in een bijzonder joviale en welwillende stemming, bereid om zich naar alles te plooien en dit luchthartig op te nemen.

'Met mij,' klonk Gemma's stem.

'Eindelijk! Hoe is het met je? Waar ben je?'

'In een bar.'

'Ik ook.'

Hij lachte.

'We moeten er echt eens mee ophouden om elkaar op deze manier te ontmoeten.'

Er kwam geen reactie, maar in plaats van zijn spotternij te betreuren en vervolgens knorrig dicht te klappen, gebaarde hij de barkeeper zijn glas opnieuw te vullen en praatte door alsof het niet meer dan een korte onderbreking van de overdracht betrof, die noch persoonlijk bedoeld noch van betekenis was.

'Welke bar? Dan kom ik meteen.'

'Nee, nee, niet doen. Stefano is hier.'

'Stefano?'

'Mijn zoon.'

'O, Stefano! Ja, ja, natuurlijk. Ik dacht dat je... uh, "*sto telefono*" zei.'

'Je bent een waardeloze leugenaar, Aurelio.'

'Dat komt doordat ik nooit oefening krijg.'

'Luister, de reden dat ik bel is... Ik eet vanavond bij ze, zoals ik je heb verteld. Ik was van plan om daarna naar huis te rijden, maar na vanmiddag weet ik niet of dat zo'n goed idee is.'

'Als je het maar uit je hoofd laat, zeker in het donker. Die truckers op de autostrada zijn gevaarlijk. De arts met wie ik in het ziekenhuis sprak, was er al ontsteld over dat je jezelf ontslagen had. Hij zei dat er meer onderzoek gedaan had moeten worden en dat...'

'Het is niet alleen dat. Ik heb echt een bed nodig vannacht, alleen is er geen hotelkamer te krijgen vanwege die beurs.'

'Wil je bij mij slapen?' antwoordde Zen op een luchthartige toon die hij niet gedacht had ooit nog te zullen kunnen opbrengen.

'Als het niet anders kan.'

'Het is eerder een twijfelaar dan een echt tweepersoons.'

'Ik neem het.'

Hij lachte opnieuw, heel natuurlijk.

'Het staat tot uw beschikking, signora. We hebben alleen een creditcardnummer nodig voor de aanbetaling. Vanavond heb ik een afspraak, maar ik zal hem afzeggen.'

'Doe dat nou niet. Zelf ben ik pas later op de avond vrij. Waarschijnlijk veel later. Ze hebben slecht nieuws te horen gekregen, snap je. Daarom heeft Stefano het zo geregeld dat hij me hier voor het eten zag, zodat hij het me alleen kon vertellen. Maar goed, het ziet ernaar uit dat het in alle opzichten een lange avond gaat worden.'

'Wat is er gebeurd?'

'Dat vertel ik je later wel. Maar het komt erop neer dat ik uiteindelijk toch geen oma word.'

Dit was een veel zwaardere test, maar ook nu weerde Zen zich kranig.

'Dat is jammer. Maar ze zijn nog jong. Er is nog zat tijd.'

'Niet per se. Het klinkt alsof dit de relatie in gevaar heeft gebracht. Ik krijg eerlijk gezegd het gevoel dat Stefano opgelucht is. Lidia daarentegen is er natuurlijk helemaal kapot van. Het wordt dus een lange avond en misschien ben ik een beetje huilerig wanneer wij elkaar zien. Het is een zware dag geweest, in alle opzichten.'

Zen nam nog een flinke teug van de schuimende wijn en begon met een varkens-*ciccioli* te spelen.

'Ja, jammer van de lunch. Je begreep me verkeerd. Ik praatte tegen mijn maag.'

'Ik verheugde me er nogal op om sokjes en jasjes te breien.'

'Nou, ik kan best een trui gebruiken.'

'Dat zou niet hetzelfde zijn.'

Hij lachte weer, inmiddels totaal ongevoelig voor wat ze hem eventueel voor de voeten zou werpen.

'Ik mag hartelijk hopen van niet! Anders zou het me nooit passen. Ik zal het hotel melden dat ze je kunnen verwachten. Vraag bij de receptie om een sleutel wanneer ik nog niet terug mocht zijn.'

'Bedankt.'

'Hoort allemaal bij de service, signora. We weten dat u kunt kiezen. Wij werken er hard aan om uw eerste keuze te zijn, en uw laatste.'

Met een brede grijns hing hij op en greep een brok Parmezaanse kaas ter grootte van een inoperabele tumor.

'Maar dit is zot!' protesteerde de barbier. 'U heeft een prachtige kop met haar, een fantastische baard! Wat bijpunten en een subtiel en onopvallend knipje hier en een pietsie meer model daar; meer is er niet nodig...'

'Doe wat ik zeg,' snauwde Romano Rinaldi.

Even leek het alsof de barbier, wiens beeld werd teruggekaatst in de spiegel tegenover de draaistoel waarin Rinaldi zat, zou weigeren. De man was zeker ergens in de zestig. Op zijn vollemaansgezicht lag de uitdrukking van een priester die zich inspant om een halsstarrige zondaar naar de voet van het kruis te brengen en zijn winkel zag eruit alsof hij was ingericht ten tijde van de nationale unificatie en er sedertdien nooit meer iets aan veranderd was. De eigenaar beschouwde zichzelf duidelijk als een der topkappers in de stad, er meer aan gewend zijn cliënten te adviseren welke ingrepen hoognodig gepleegd dienden te worden dan aan het simpelweg uitvoeren van hun opdrachten, zeker als deze opdrachten uitermate zonderling en eigenzinnig waren. Niettemin nam hij met een diepe zucht van afkeuring zijn schaar ter hand om aan de slag te gaan.

Rinaldi, de blik gefixeerd op het antieke fonteintje voor hem, zat er onbewogen bij toen zijn afgeknipte lokken neervielen op het kapperslaken om zijn tors. De politie zou het hotel in de gaten houden, de trein- en busstations, de luchthaven, en ook zijn mobiele telefoon en die van Delia afluisteren. Hij had de barbier opdracht gegeven om zijn hoofd kaal te scheren, zijn wenkbrauwen te verwijderen en van zijn volle baard niet meer over te laten dan een zeer dunne snor. Daarmee werd toevallig herkend worden op straat voorkomen. Hij was van plan op zoek te gaan naar een klein, vuil hotel van het soort dat jonge rugzaktoeristen met een krappe beurs frequenteerden, zichzelf voor te doen als buitenlander en de eigenaar te vertellen dat zijn paspoort was gestolen maar dat hij het consulaat hiervan op de hoogte had gesteld en dat hij binnen een week een vervangend exemplaar kon verwachten. Dat plus een forse vooruitbetaling moesten het hem doen voor de eerstkomende tijd. Daarna werd het een kwestie van het nieuws in de gaten houden en afwachten hoe de zaak afliep.

De barbier was klaar met zijn werk en met een gezicht waarop de afkeuring te lezen stond, trok hij snel het met haren overdekte laken weg.

'Vijftig euro.'

Rinaldi stond op en staarde sprakeloos naar zijn spiegelbeeld, terwijl de barbier hem afborstelde als was hij een paard. Zelfs Delia zou hem niet herkennen, dacht hij. Hij greep naar zijn portefeuille, maar voelde in plaats daarvan alleen een hem vreemd object; glad, koel en zwaar. Geërgerd haalde hij het uit zijn zak. Tot zijn verwondering zag hij dat hij iets vasthield dat eruitzag als een automatisch pistool.

Het kostte hem niet veel tijd om te bedenken dat de kleine rat in de Ierse bar hem dus toch bestolen had. Hij had dat omvallen geveinsd om zodoende Rinaldi te kunnen beetpakken, zijn portefeuille te rollen en deze, ter nabootsing van omvang en gewicht ervan, te vervangen door dit goedkope neppistool. Toen tot hem doordrong wat dit voor hem betekende, overviel hem een golf van totale paniek. Al zijn contante geld en creditcards waren weg, en aangezien hij door de politie werd gezocht kon hij het gebeuren niet aangeven en de boel op de gebruikelijke manier vervangen krijgen.

Met zijn stralende Lo Chef-glimlach draaide hij zich om naar de barbier.

'Zeg, ik schijn mijn portefeuille thuis te hebben laten liggen.'

De man antwoordde niet. Hij stond doodstil en staarde naar het pistool in de hand van zijn klant. Rinaldi stak het haastig weer in zijn zak.

'Ik ga mijn portefeuille nu halen,' praatte hij door, 'en ik zal mijn horloge achterlaten als onderpand. Het is een klassieke Rolex, platinaband, minstens duizend euro waard. Ik ben over een halfuurtje terug.'

'Ik sluit over tien minuten,' zei de barbier met een stem die klonk als een bandopname.

'Morgen dan.'

Hij stopte hem het horloge bruusk toe en liep naar buiten. Zodra hij de hoek bereikte sloeg hij linksaf en begon te rennen tot hij buiten adem raakte. De avondlucht voelde gemeen koud aan in zijn pas geschoren staat, maar in elk geval was er geen sterveling te bekennen. Enkele meters verderop, in het duister van de lange door de portici vooruit geworpen schaduwen, stond een gemeentelijke afvalbak. Rinaldi wroette erin rond tot hij een lege plastic zak vond, waarin hij vervolgens zijn varkensleren handschoenen, kasjmieren sjaal en kameelharen overjas propte. Daarna ruwde hij zijn blazer, pullover en broek tegen het grove pleisterwerk van een pilaar van de zuilengaanderij, schuurde zijn onberispelijk gepoetste brogues enkele keren tegen een drempel dichtbij en ging weer op pad, heel wat meer als een dakloze ogend met zijn gehavende zak met eigendommen in de hand.

Maar waar moest hij naar toe? Het verlies van zijn portefeuille had alles veranderd. Afgezien van het feit dat hij dakloos was en werd gezocht door de politie, had hij ook maar vier euro en drieënzestig *centesimi* op zak, waarvan het merendeel prompt werd uitgegeven in de eerste de beste bar die hij zag, alleen om warm te worden. Hij staarde naar de opdrogende vlek in zijn koffiekop, alsof hij hoopte in het koffiedik zijn toekomst te zien, toen hij zich plots iets herinnerde wat hij eerder op de avond had gezien. Alleen al bij de gedachte kromp hij ineen van vernedering. Wat een afgang! Over van rijkdom tot de bedelstaf vervallen gesproken. Maar hij zag even geen alternatief en misschien bleek het wel precies te zijn wat hij nodig had om de eerstkomende paar dagen door te komen, tot alles weer terechtkwam. Het was zeker de moeite van het proberen waard.

Flavia keek op uit haar gehavende paperback en wierp een blik op de klok boven de nis waar de eigenaar druk met de hand pizza's maakte naast de muil van de oven. Aan haar zij verscheen weer een van de twee kelners, het magere evenbeeld van Stan Laurel. Hij keek haar vorsend aan.

'Weet u al wat u gaat bestellen?' vroeg hij, toen Flavia niet reageerde.

'Ik wacht op iemand.'

En die was al meer dan twintig minuten te laat, dacht ze, toen de kelner van haar wegliep. Belachelijk naïef dat ze had geloofd dat hij echt zou komen. Haar relatie met Rodolfo was intens, amsusamt en leerzaam geweest, maar ze had zichzelf nooit toegestaan enige illusie te koesteren over waartoe het uiteindelijk zou leiden, ook niet voordat hij zich zo eigenaardig, boos en ijzig beheerst was gaan gedragen. Maar nu zijn universitaire carrière aan diggelen lag, bestond er voor hem geen aanleiding meer om in Bologna te blijven, of bij haar. Dat was waarop hij gisteravond gedoeld had toen hij haar hoonde omdat ze over haar achtergrond loog en vervolgens weigerde om met haar te slapen. En wat vanavond betreft, hij zou gewoon niet komen opdagen, zodat ze het begreep. Maar dat had ze al.

Ze wierp een hoopvolle blik op de deur toen die openging, maar het was iemand die ze niet kende, even lang en streng van uiterlijk als haar dode vader. Flavia las het hoofdstuk waarmee ze bezig was uit en raadpleegde nogmaals de klok. De dertig minuten uitstel die ze Rodolfo had gegund waren om. Ze trok haar jas aan en begaf zich naar de deur.

'Het spijt me,' zei ze tegen de dikke kelner, die twee borden pasta opdiende aan een tafeltje vlakbij. 'Mijn vriend belde net dat hij niet kan komen.'

Ollie neigde zijn hoofd opzij, op een manier die van alles had kunnen betekenen of juist niets.

Op straat, net buiten La Carrozza, liep ze Rodolfo letterlijk tegen het lijf. Hij liet de plunjezak die hij droeg vallen en kuste haar op de mond.

'Het is allemaal in orde!'

Ze kwamen samen terug bij het tafeltje dat Flavia had vrijgemaakt, inmiddels het enig vrije, nu de helft van de overige tafels aan elkaar geschoven was in een grote rechthoek waaraan plaats was voor een stuk of tien mensen – waarschijnlijk een groep die straks zou arriveren. Rodolfo stouwde de nylontas in de hoek en daarna deed hij Flavia bijna buiten adem het verhaal dat hij professor Ugo in het ziekenhuis had opgezocht, weer werd toegelaten tot de werkgroep en zijn scriptie mocht afmaken en kon afstuderen.'

'Geweldig,' zei Flavia koeltjes. 'En daarna wat?'

Rodolfo haalde zijn schouders op.

'Van de zomer wil ik wel terug naar Puglia, in elk geval voor een poosje. Mijn vader zegt dat hij me nodig heeft, hoewel je nooit weet hoe lang dat zal duren. Maar goed, ik ben deze rotstad spuugzat. Daarna zien we wel verder.'

Flavia knikte vaagjes.

'Hoe is het weer in Puglia?'

'O, veel warmer dan hier! De mensen ook.'

Ze reageerde zeer nadrukkelijk niet.

'En in Ruritanië?' vroeg hij met een schuchter lachje.

'Het weer in Ruritanië? Dat bestaat niet.'

Rodolfo pakte haar hand.

'Het spijt me van gisteren, Flavia. Ik was zo woedend over wat er was gebeurd, bijna krankzinnig, en ik heb het op jou afgereageerd. Mijn excuses daarvoor.'

Hierop volgde een stilte.

'Wat zit er in die tas,' doorbrak Flavia haar zwijgen ten slotte.

'O, gewoon wat kleren. Vincenzo vroeg me die voor hem mee te brengen. Hij schijnt een poosje weg te gaan en kon zelf niet terug naar het appartement. De reden dat ik zo laat arriveerde is dat ik na mijn bezoek aan Ugo terug naar huis moest om ze op te halen.'

Hij glimlachte haar toe.

'Maar goed, genoeg gepraat over die dingen. Laten we het over ons hebben.'

'Ons?'

'Kom je met me mee naar Puglia?'

Ze keek hem gedurende minstens een minuut strak en zonder enige uitdrukking aan.

'Als wat?'

Rodolfo mimede overdreven geschoktheid en afschuw in stommefilmstijl.

'Als mijn *fidanzata*, natuurlijk! Ze zouden ons anders stenigen tot de dood erop volgde.'

Stanlio verscheen aan hun tafel.

'Twee pizza margherita met buffelmozzarella,' bestelde Rodolfo, zonder het oogcontact met Flavia te verbreken. 'En een fles champagne.'

'... een fles *spumante*,' herhaalde de kelner al schrijvend op zijn blokje.

'Nee, geen spumante. Franse champagne.'

De kelner keek bedenkelijk.

'Ik zou het kunnen halen bij de bar verderop in de straat. Maar de prijs...'

Rodolfo haalde een goedgevulde designportefeuille te voorschijn, een zichtbaar duur ding dat Flavia zich niet herinnerde eerder gezien te hebben.

'Doet niet ter zake,' zei hij.

Als nieuwkomer in La Carrozza had Aurelio Zen een tafeltje toegewezen gekregen dat los stond van de andere, tussen het uiteinde van de bar en de voordeur in. Dit verschafte hem niet alleen een indringend zicht op interacties tussen de overwerkte kelners en de grofgebekte eigenaar – die gepaard gingen met interessante commentaren over en weer – maar ook een stoot ijskoude lucht telkens wanneer de deur openging, wat de brandende hitte neutraliseerde van de houtgestookte pizzaoven achter zijn rug. Hij bestelde een glas bier maar niets te eten, met de mededeling dat hij op iemand wachtte.

'Ha, zoals iedereen,' luidde de cryptische reactie van de dunste van de twee kelners.

Zen keek om zich heen, maar de enige die aan de beschrijving van de kelner leek te voldoen was een jonge vrouw aan een tafel dichtbij, die almaar uit haar boek opkeek naar de voordeur. Toen Zen binnenkwam had ze hem heel even opgenomen met een verwachtingsvolle gretigheid in haar ogen, die onmiddellijk verdween toen ze hem niet herkende. Ze had blauwe ogen van een allerverbazingwekkendste helderheid, licht en klaar als ijs, maar veel warmer. Ook in andere opzichten was ze erg aantrekkelijk. Zen merkte dat zijn blik telkens weer naar haar toe trok om die reden en ook omdat het boek dat ze las *De gevangene van Zen* leek te heten, hoewel haar stevig-sierlijke wijsvinger de titel deels bedekte.

Ten slotte pakte ze haar spullen bij elkaar en vertrok, nogal tot zijn teleurstelling. Maar eenmaal buiten op straat, botste ze tegen een jongeman aan, die haar op spectaculaire wijze kuste en vervolgens terugbracht naar haar tafeltje, alwaar het stel nu enthousiast zat te knuffelen en te kletsen bij een fles bruisende wijn. Ach, de jeugd! dacht Zen, vrolijk dat er iemand was voor wic hij blij kon zijn. Nu het intermezzo van zijn kortstondige opgewektheid – waarschijnlijk een verlate reactie op de schok van zijn arrestatie – over was, leken zijn eigen vooruitzichten voor de avond beduidend minder veelbelovend. Het nieuws dat Stefano's vriendin een miskraam had gehad, beloofde een uitgestrekt, nog niet verkend mijnenveld toe te voegen aan het funeste oorlogsgebied waartoe zijn relatie met Gemma was verworden. Kennelijk had hij een schier oneindig talent ontwikkeld om het verkeerde te zeggen of te doen en deze nieuwe ontwikkeling, die in de nabije toekomst vrijwel zeker hun belangrijkste gespreksonderwerp zou zijn, bood volop gelegenheid voor zijn gaven in dat opzicht.

Opeens kwam er toen een gedachte in hem op. Zoals de zaken lagen, bezat hij binnen de familie Santini geen duidelijke positie, maar als Stefano's stiefvader moest men hem toch op zijn minst gedogen. Dus als de situatie straks in het hotel uit de hand begon te lopen, zou hij Gemma gewoon ten huwelijk vragen. Dit zou in elk geval duidelijkheid scheppen, hoe het ook mocht uitpakken. Als ze hem afwees, zouden ze uit elkaar moeten gaan. Als ze ja zei, zouden ze het met elkaar moeten uithouden. Het was misschien niet de meest romantische oplossing, maar wel uitermate praktisch.

Er verstreken nog eens tien minuten voordat Bruno Nanni ten slotte kwam opdagen.

'En wat is dat "belangrijke spoor" dan wel waarover je het had?' wilde Zen weten, zodra ze hun pizza's hadden besteld. 'Aan de telefoon deed je er erg geheimzinnig over.'

Bruno boog zich naar Zen toe.

'Klaarblijkelijk belde er vanmiddag een anonieme informant naar de questura...'

'En hij beweerde te weten wie Edgardo Ugo heeft neergeschoten,' interrumpeerde Zen. 'Oud nieuws, Bruno. De carabinieri hebben dit me uren geleden al verteld.'

'U heeft contact gezocht met de carabinieri?'

'Zij zochten contact met mij. Degene die is belast met de zaak-Ugo is een oude vriend van me en net als ik afkomstig uit Venetië. Vanzelfsprekend wilde hij van gedachten wisselen over een en ander.'

'Hebben ze de naam verteld die de beller noemde?'

Zen dacht na.

'Nee, feitelijk werd er geen naam genoemd.'

Bruno glimlachte zelfvoldaan.

'Dat konden ze niet, omdat wij hun die naam niet hebben verteld.'

'Hoe komt het dat jij dit allemaal weet, Bruno?'

'Heb het ontfutseld aan de brigadier van de wacht die het gesprek aannam.'

Hun pizza's arriveerden en even gingen beide mannen op in hun maaltijd.

'En je kent ook de naam waarom het gaat?' vroeg Zen toen zijn eerste honger was gestild.

Bruno, die net een gigantische hap wegwerkte, antwoordde niet onmiddellijk.

'Vincenzo Amadori,' antwoordde hij ten slotte op gesmoorde fluistertoon.

'Vermoedelijk gewoon lasterpraat.'

Bruno schudde zijn hoofd.

'De ballistische connectie tussen de twee zaken is niet naar buiten gebracht,' bracht hij naar voren. 'Op de questura gaat het gerucht dat het absoluut zeker om een en hetzelfde pistool gaat. Maar ze voeren dat nieuws niet aan de media uit vrees dat dit een Uno-Biancahysterie zal veroorzaken. Het lijkt erop dat ze het een poosje buiten de publiciteit zullen houden, onder het mom dat er meer onderzoek geboden is en hopend op een snelle doorbraak in de zaak voordat ze met de billen bloot moeten.'

Hij dronk zijn bier op en gebaarde de kelner hem een nieuw glas te brengen.

'En zonder de kennis dat hetzelfde pistool was gebruikt zou het geen zin hebben om Vincenzo die kwestie-Ugo in de schoenen te schuiven. Ik betwijfel zelfs of hij wist wie Ugo was, laat staan dat hij een motief bezat om hem neer te schieten.'

Opeens werd Zen overvallen door een gevoel van loomheid en onverschilligheid, een korte terugslag van de storm die hem nog maar pas geleden had gedreigd te verpletteren.

'Tja, dat is in wezen het probleem met dit hele onderzoek,' hoorde hij zichzelf als vanuit de verte zeggen. 'Op het oog hadden de slachtoffers helemaal niets gemeen, afgezien van het feit dat ze alle twee bekende publieke figuren waren in Bologna. Er zijn genoeg moordenaars die uitsluitend bepaalde demografische groepen te grazen nemen, meestal prostituees, maar mensen die het op beroemdheden gemunt hebben zijn steevast geobsedeerd door één persoon. Niemand anders hoeft te solliciteren.'

'Misschien hebben we te maken met twee mannen,' opperde Bruno, zwaaiend met een met pizza beladen vork. 'De ene schoot Curti dood op zijn eigen gronden en de andere Ugo dito, maar wel met hetzelfde pistool.'

'Jij moet met pensioen gaan en thrillers schrijven,' zei Zen sarcastisch. 'Maar goed, wij hebben er niets meer mee te maken. Op grond van de mogelijke analogie die jij noemde, heeft de rechterlijke macht de zaak-Ugo overgedragen aan onze collega's van de carabinieri. Aangenomen dat het ballistisch onderzoek de identiteit van het gebruikte wapen bevestigt, krijgen zij ook de facto de leiding over het onderzoek naar de moord op Curti, waardoor wij de handen vrij hebben om ons bezig te houden met echt belangrijke zaken, zoals toezicht houden bij voetbalwedstrijden.'

Hij hield op met praten toen er een gezelschap van een stuk of tien mensen binnenkwam, luid lachend en pratend. Ze liepen in een rij langs Bruno en Zen om plaats te nemen aan de aan elkaar geschoven tafeltjes achter in de zaak. Een van de kelners verscheen om de lege pizzaborden af te ruimen.

'Tutto bene, signori?'

Zen knikte maar Bruno krabde zich in de nek.

'Als u wilt opstappen, capo, dan moet u gaan. Maar ik heb nog honger.'

Uit het achterste gedeelte van de tent dook net een man op met een vuile schort voor om twee borden pasta neer te zetten op het buffet naast de pizzaoven. Hij was mollig, had een kaal hoofd, een rudimentair snorretje, geen wenkbrauwen en hij straalde een immense wrevel uit.

'Wie is dat?' vroeg Bruno aan de kelner.

'De nieuwe hulp. Normo's moeder voelde zich niet lekker, dus we moesten per direct iemand hebben om de eenvoudige gerechten te doen.'

'Is hij goed?'

'Hij is nog maar net begonnen. Een buitenlander. Ik heb nog geen klachten gehad. *La nonna* houdt hem heel goed in de gaten.'

'God sta hem bij. Nou, laten we dan maar eens kijken of ze een goed team vormen. Ik wil een bord *penne all'arrabbiata* en een halve liter rood.'

'In dat geval neem ik een dessert,' zei Zen. 'Dat chocoladeding op de onderste plank van de koeling.'

Achter hen zwollen de vreugdekreten, het gegiechel en het bulderende gelach aan tot een zodanig geluidsniveau dat Bruno en Zen geen moeite hoefden te doen om naar een gespreksonderwerp te zoeken.

'Een penne all'arrabbiata,' schreeuwde de kelner naar de kok.

Shit, dacht Romano Rinaldi, hoe maak ik dat, verdomme? Maar de waakzame oude bes, hoog gezeten op een kruk in de hoek, was er al helemaal klaar voor.

'Sta daar niet te slapen! Doe de pasta erin! Twee volle handen. En goed roeren tot ze aan de kook is, het water wordt al kleverig, misschien gaat ze plakken. Leeg die ketel, vul hem opnieuw en neem nu de reserve. Warm een pollepel tomatensaus op, doe er een snuf chilipeper bij en...'

Voor de tweede keer die dag bracht Romano Rinaldi een enorme pan met pasta aan de kook. Dit keer echter, zorgde hij ervoor dat deze niet overkookte. Wat een doffe ellende, dacht hij. Van de bejubelde en geliefde *Chef Che Canta e Incanta* zijn naar gekoeioneerd en rond gecommandeerd worden door een kwaadaardige opoe die andermaal een man in handen had wiens leven ze tot een hel kon maken en er genoegen in schepte iedere gelegenheid hiertoe te benutten.

En Romano gaf haar die gelegenheid volop. Niet alleen wist hij niet hoe hij moest koken, hij had een diepe, zelfs intuïtieve afkeer van het hele gebeuren. Wat hij heerlijk vond en bezong was het idee van traditie, van oprecht gedeelde ervaring en van een stabiel en liefderijk huiselijk leven rond de haardstede. Koken was het medium dat hij hiervoor gekozen had, maar op zich vond hij het een smerige, moeilijke, ondankbare en – zoals hij die ochtend op sensationele wijze aanschouwelijk had gemaakt – potentieel uiterst gevaarlijke vorm van geestdodend werk, die totale concentratie vereiste en op zijn hoogst een gevoel van betrekkelijk onvermogen veroorzaakte. Wie heeft er niet altijd weer de indruk een betere maaltijd gegeten te hebben dan die welke voor hem is neergezet? Het was een zinloze bezigheid, wat er ongetwijfeld een van de redenen voor was dat het traditioneel aan vrouwen werd overgelaten.

Los van deze grote filosofische vraagstukken had Romano Rinaldi meer dan genoeg specifieke redenen om zich uiterst ellendig te voelen. Een barstende hoofdpijn was er een van; het gevolg van zijn eerdere onmatigheid en huidige gemis aan drugs en alcohol om zijn dringende medische behoeften te bevredigen. Dan waren er la nonna, over wie maar beter zo min mogelijk gezegd moest worden, en de onuitsprekelijk gore omgeving waarin hij gedwongen was zijn onsmakelijke en vernederende taken te verrichten.

De pizza's, waarop het etablissement hoofdzakelijk draaide, werden door de eigenaar en zijn zoon klaargemaakt en gebakken in een smetteloos schoon verlengstuk van de bar, in het volle zicht van de clientèle. De keuken, waarin hij opgesloten was, bevond zich helemaal achter in de zaak, ver buiten eenieders zicht. Hij was beduidend kleiner dan de inloopkasten in Rinaldi's Romeinse woning en elk oppervlak was overdreven goor. Het hok zag eruit als het toneel van een maffia-afrekening nadat de lijken waren verwijderd. Overal zaten rode spatplekken op de pokdalige pleistermuren, die vele lange verticale groeven vertoonden, die heel wel gemaakt zouden kunnen zijn door de vingernagels van een stervende maffioso. De vloer lag bestrooid met wat er aanvankelijk uitzag als uitbundig rondgesmeten kappertjes, die bij nader inspectie rattenkeutels bleken te zijn. Rinaldi was al een paar keer zwaar in de verleiding gekomen om het erop te wagen bij de politie. Zelfs al kwam het tot een veroordeling, kon gevangenisstraf met dwangarbeid erger zijn dan dit?

Toen hij enkele uren daarvoor naar het baantje vroeg, had de korzelige eigenaar aanvankelijk met zijn hoofd geschud, om vervolgens abrupt van gedachten te veranderen. Hij zei tegen de veronderstelde illegale immigrant dat hij hem op proef zou aannemen, en wel met ingang van direct, maar uitsluitend omdat er voor die avond een groot verjaardagsgezelschap was geboekt en hij zat te springen om iemand – wie dan ook – om in de keuken te helpen. Ook werd Rinaldi voorgehouden dat hij de opdrachten van Normo's grootmoeder tot in de kleinste bijzonderheden diende op te volgen. Ze was negentig en niet meer bij machte het werk zelf te doen. 'Zij is het brein, jij de robot,' zo vatte de van charme gespeende eigenaar de situatie bondig samen. 'En waag het niet om die rotkop van je in het restaurant zelf te vertonen. Wanneer de borden klaar zijn, kom je ze hier op het buffet neerzetten en ga je regelrecht weer aan je werk.'

Het enige voordeel van de hele situatie was dat hij volledig anoniem bleek te zijn. Niemand had er het minste blijk van gegeven te beseffen wie hij was of zich zelfs maar bewust van hem te zijn, behalve als object dat ze konden gebruiken dan wel hun in de weg stond. Hij was onderdeel geworden van de immigranten-fantoombevolking, volledig zichtbaar doch nauwelijks waargenomen; in zijn huidige bestaan minder echt dan hij was geweest als tweedimensionaal beeld op televisie. Beslist niemand zou ooit een opmerking maken over de gelijkenis tussen die twee. En deed men dat wel, dan zou die gedachte meteen worden verworpen als zijnde een inschattingsfout van de meest elementaire soort. Voor het moment was hij in elk geval veilig.

Maar niet voor la nonna.

'Sta daar niet aan je reet te krabben! Giet de pasta af, en daarna giet je de ketel leeg en vult hem weer. En bewaar wat van het kookwater om de saus wat mee te verdunnen.'

Zoals gebruikelijk ontbrak de volgorde in haar opdrachten en moest hij maar zien te bedenken wat als eerste te doen. Een goede kok zijn hing helemaal op timing, begon hij te beseffen, en de zijne was een ramp. Erger stond hem te wachten. De ketel met pastawater, dik als soep na veelvuldig gebruik, was heter en zwaarder dan Rinaldi besefte, tot een tot wasdom komende wolk stoom van de gootsteenwaartse vloed zijn gezicht schroeide en hij de ketel op zijn voet liet vallen.

'Macché!' krijste de helleveeg op haar kruk naar haar ineenkrimpende lijfeigene. 'Heeft je moeder je moeten leren hoe je moet schijten? Laat liggen, laat liggen! Doe de pasta op het bord, doe er de saus bij en een takje peterselie en breng het naar het buffet. Snel, snel voordat het koud wordt!'

Toen, schel krijsend: 'ANTOOOOOOOONIO!!!'

Het was een verademing om aan de keuken te kunnen ontsnappen, al was het hinkend en maar voor een paar seconden. Nadat hij het bord had neergezet, wierp hij een heimelijke blik op de groep die voor de feestvreugde van een verjaardag bijeengekomen was. Precies het soort uitgebreide-familiepartij dat hij in zijn programma zo dikwijls had verheerlijkt. Te bedenken dat nog diezelfde ochtend hij, *Lo Chef Che Canta e Incanta*, deze mensen en hun vulgaire *piccolo-borghese*-pret inwendig geminacht had.

De kelner griste het bord pasta van het buffet en gaf Rinaldi een papiertje.

'Negen bestellingen voor die grote groep. Moeten allemaal tegelijk klaar zijn, dus hup, hup!'

Het was een hulde aan de vitale zij het ietwat primitieve vakkundigheid van Vincenzo Amadori's coiffeur dat Bruno noch Rodolfo hem aanvankelijk herkende toen hij La Carrozza binnenkwam. Vincenzo had een groot deel van de middag doorgebracht in een kapsalon in een niet-trendy buitenwijk om zijn kuif te laten kortwieken, roze te laten verven en in een retro-punkhanenkam te boetseren. Bij het zien van Rodolfo en zijn Ruritaanse hoer aan hun vaste tafel slofte Vincenzo naar hen toe en plofte lawaaiig neer op een stoel.

'De tas?'

Rodolfo wees met zijn duim over zijn schouder naar de hoek achter zijn stoel.

'Mooi, dan nok ik af,' zei Vincenzo, die weer opstond.

'Doe eens even rustig,' antwoordde Rodolfo. 'Ga zitten. Zoals je er nu uitziet zal niemand hier je oppikken, in de ruimste zin van het woord. Dus blijf en drink in elk geval wat met ons. Flavia en ik hebben iets te vieren.'

Hij beduidde de kelner hun nog een glas te brengen. Vincenzo keek smalend naar de fles. 'Veuve Clicquot? Het soort dure rotzooi dat mijn ouders en hun kliek drinken om indruk op elkaar te maken. Wat de fuck moet dit voorstellen? Loterij gewonnen of zo?'

'In zekere zin,' antwoordde Rodolfo met een langdurige blik op Flavia. 'We hebben ons net verloofd.'

Vincenzo draaide abrupt zijn hoofd weg, zoals een geschrokken paard dat doet. Het extra glas werd gebracht en Rodolfo schonk in.

'Op ons alle drie!' toastte hij vrolijk.

Hij en Flavia klonken met elkaar. Vincenzo sloeg zijn glas in één teug achterover, keek chagrijnig en stak een sigaret op.

'Erg blij lijk je niet voor ons,' merkte Flavia op.

Vincenzo haalde zijn schouders op.

'Voor jullie misschien wel. Niet voor mezelf.'

'Hoezo niet?'

'Het geluk van anderen brengt mij ongeluk.'

Hierop volgde een drukkende stilte.

'En, wat stelt dit nou allemaal voor?' vroeg Rodolfo met een vinger naar Vincenzo's kapsel wijzend en opnieuw met een duimbeweging naar de tas met kleren die hij had meegebracht.

Vincenzo haalde een flesje met kleurloze sterkedrank uit zijn zak en nam een grote teug.

'Heb ik toch verteld, lulhannes!'

'Je zei dat de privédetective die je ouders in de arm hadden genomen om je gangen na te gaan, beweert er bewijs voor te hebben dat jij een misdaad hebt begaan. Wat voor misdaad?'

Vincenzo zat ongemakkelijk te draaien op zijn stoel.

'Doet er niet toe.'

'Met andere woorden, je vertrouwt ons niet.'

'Doet er niet toe, dat is alles. Goed dan, het was die zaak van vandaag. Die neergeknalde prof van de uni.'

'Dat heb jij niet gedaan!' riep Rodolfo uit.

'Tuurlijk heb ik dat niet gedaan! Zelfs als die smerissen me vinden, dan nog zullen ze nooit iets kunnen bewijzen. Ik kan dat geëtter gewoon niet gebruiken, dat is alles. Daarom ga ik me een poosje gedeisd houden.'

'Kun je niet bewijzen dat je ergens anders was op het tijdstip dat het gebeurde?'

'Ik sliep.'

'Alleen?'

'Luister, ik heb het godverdegodver niet gedaan, oké? Dit keer ben ik hartstikke onschuldig.'

Rodolfo knikte ernstig.

'Dat weet ik,' zei hij. 'Want...'

'Dit keer?' mengde Flavia zich in het gesprek.

Vincenzo keek haar doordringend aan, alsof hij zijn gelijke in haar erkende.

Zo heeft hij nog nooit naar mij gekeken, dacht Rodolfo.

'Nou, ik heb Curti koudgemaakt! Dat kon ik iedereen vertellen tot ik een ons woog, maar die klojo's geloven me natuurlijk niet, terwijl het waar is. En nu proberen ze me te grazen te nemen met die leugen.'

'Dus jij hebt Lorenzo Curti vermoord,' zei Rodolfo, alleen om de andere twee te laten merken dat hij er ook nog was.

'Zekers. Ik liep al weken met dat Parmezaanse-kaasmes rond. Eerst was ik van plan er de lak van zijn auto mee te bewerken wanneer hij hier bij een thuiswedstrijd was. En dan wilde ik het mes achterlaten, zodat hij de boodschap begreep.'

Hij lachte rauw.

'Beetje treiteren, weetjewel. Maar ik kreeg nooit de kans. Hij had altijd wel een bodyguard bij zich of een zakenvriendje.'

Hij goot nog een borrel naar binnen.

'Maar die avond in Ancona liep het allemaal op rolletjes. Na de wedstrijd bleef ik rondhangen bij de vip-uitgang van het stadion en voor de verandering kwam Curti alleen naar buiten. Hij kende mijn vader en hij had me bij ons thuis wel eens gezien toen ik daar nog woonde. Dus toen ik hem vertelde dat ik de supportersbus had gemist en om een lift terug naar Bologna vroeg, kon ik zo in zijn Audi stappen. Hij ging bij San Lázzaro van de autostrada af om me eruit te laten en toen hij stopte kreeg hij de volle laag van me. Daarna stak ik het kaasmes in zijn borst en wandelde naar huis. Leuk detail, vinden jullie niet? Dat parmezaanmes, bedoel ik.'

'Waar spraken jullie over op de terugweg?' informeerde Flavia.

Vincenzo keek haar stomverwonderd aan.

'Wat de fuck heeft dat er nou mee te maken?'

'Hoe kwam je aan het pistool?' vroeg Rodolfo op strenge toon, opzettelijk de typische *commissario di polizia* parodiërend, geneigd als die is tot vastgeroeste ideeën en het derdegraads verhoor.

Vincenzo lachte ongemakkelijk, om dan plots een van zijn zeldzame stralende glimlachjes te voorschijn te toveren en moeiteloos te veranderen in zijn alternatieve persona, van iemand die begiftigd is met een overmaat aan schoonheid en die niet alleen alles ongestraft kon flikken, maar je er ook naar deed verlangen dat hij dit proberen zou.

'Liep ik tegenaan,' zei hij met een wuivend gebaar van zijn hand, als om daarmee te suggereren dat hier geregeld vuurwapens in vielen door een proces dat hij niet begreep maar niet bij machte was te verijdelen.

'Maak dat de kat wijs!'

'Nee, echt. Er was een ouwe vent in de bar, oké?'

'Waar?'

'In Ancona, na de wedstrijd. Hij nam foto's van mij en de jongens met die camera die ik je liet zien. En toen had ik hem in de peiling en wist dat hij die bemoeial moest wezen die mijn ouders hadden ingehuurd. Hadden ze mij vanzelf niet verteld, maar de huishoudster seinde me in. Dus die vent gaat pissen, ik erachter aan en beuk zijn kop tegen de muur. Daarna doorzoek ik zijn zakken en vind de camera, ook hartstikke gaaf, zitten allemaal digitale plaatjes van ons op. En ik vind een pistool.'

Vincenzo's gezicht betrok.

'En toen pikte iemand het! Uit ons appartement. Ik had het verstopt achter de boeken in jouw slaapkamer.'

Hij wierp een snelle blik op Rodolfo.

'Jij, jij was het, hè?'

'Natuurlijk niet!'

'Wie dan wel?'

'De privédetective, natuurlijk,' zei Flavia. 'Hij moet het huis geobserveerd hebben, want hij is mij naar het mijne gevolgd en toen kwam hij later langs om te proberen of hij informatie uit me loskreeg.'

'Dat heb je me nooit verteld!' protesteerde Rodolfo.

'Ik dacht dat je er misschien van in de war zou raken, na je slechte nieuws op de universiteit. Maar goed, Dragos moet jouw vriend herkend hebben toen hij hem overviel en later, toen jullie allebei weg waren, het appartement binnengevallen zijn om zijn pistool terug te halen.'

'Wie is Dragos?' vroegen de twee mannen als uit één mond.

'O, dat is gewoon mijn naam voor hem. Ik dacht dat hij een geheim agent was.'

Vincenzo dronk zijn flesje tot de laatste druppel leeg.

'Nou ja, één ding staat vast, met dat Ugo-gebeuren heb ík niets te maken. Ik kende die ouwe lul niet eens. Was hij echt beroemd?'

'In sommige kringen,' antwoordde Rodolfo luchtig.

Hij kwam in de verleiding om een eind te maken aan Vincenzo's zorgen door de waarheid op te biechten. Maar dat zou een beginnende barst in zijn relatie met Flavia veroorzaken die niet meer te herstellen was. Hij besloot Vincenzo een nachtje te laten zweten en de volgende ochtend contact met hem op te nemen. Bovendien bestond er een heel erg klein kansje dat hij de waarheid sprak over de moord op Curti. Het pistool bestond tenslotte echt en hij had het vermoedelijk in Rodolfo's kamer verborgen om de verdenking op hem te werpen, mocht het bij een politieonderzoek worden ontdekt. Nee, hij was Vincenzo niets verschuldigd.

Er ging een bulderend gelach op aan de grote tafel midden in het restaurant.

'Wie zijn deze rukkers?' schreeuwde Vincenzo, zich snel naar het lawaai omdraaiend. 'Nog meer blije stommelingen! Jezus, ik kan vanavond echt naar mijn geluk fluiten.'

'Ze vieren de verjaardag van dat meisje,' zei Flavia. 'Ze hebben het gewoon leuk.'

'Leuk? Leuk? Denk jij dat het daar in het leven om draait, het leuk hebben?'

'Waar anders om?'

Vincenzo's lippen plooiden zich in een neerbuigende spotlach.

'Verhinderen dat anderen het leuk hebben,' zei hij. 'Daar draait het allemaal om, schattebout.'

Flavia snoof laatdunkend.

'Nou, jij zult niet verhinderen dat wij het leuk hebben. Nee, hè, Rodolfo?'

Maar Rodolfo leek geen aanstalten te maken hierop te antwoorden. Zijn blik hield die van Flavia vast en hij keek diep bezorgd.

'... En doe de knoflook erbij. Nu de olie. Nee, niet zo! Langzaam druppelend, zoals de regen uit de hemel valt. Heeft je moeder je moeten leren hoe je moet pissen? Hoe kan iemand zo twee linkerhanden hebben?! Luister naar de natuur, alleen naar de natuur! Zij vertelt je altijd wat te doen.'

Liever zij dan jij, dacht Rinaldi.

'Nu een beetje nootmuskaatrasp eroverheen, zoals de wintersneeuw omlaag stuift uit de bergen...'

'Hoeveel?'

In haar wiegeliedjesachtige mijmerij gestoord, keek het oudje hem woedend aan.

'Hoeveel wat?'

'Hoeveel nootmuskaat!' schreeuwde de kok.

Kennelijk echt verbaasd, staarde ze hem aan.

'Ma quello che basta, stupido!'

Precies genoeg. Dankjewel, oma.

'Genoeg, maar niet te veel,' vervolgde Rinaldi's mentrix dromerig. 'Voor ons is het traditioneel. Hoe zou een buitenlander als jij dat kunnen begrijpen? Ben je een katholiek of een Turk? Doet er niet toe, je bent een man, dat is het probleem. Mannen moeten uit de keuken wegblijven. Geen snars snappen ze van koken. Hoe kan het ook, ze zijn immers niet in harmonie met de ritmes van de natuur. Wij vrouwen hebben die in ons lichaam als de getijden. Luister naar de natuur, alleen naar de natuur. Volg je diepste impulsen, dan gaat het nooit mis.'

Romano Rinaldi slaagde er maar net in de verleiding te weerstaan om haar advies op te volgen en de koekenpan te pakken om er de oude heks mee dood te slaan; maar het was kielekiele. Veel langer hield hij het hier niet uit, dat wist hij zeker. Op de een of andere manier kreeg hij de bestelling af en droeg de borden met twee tegelijk naar het buffet. Toen hij het laatste pakte braakte zijn kwelgeest de hem inmiddels vertrouwde schelle kreet uit. De kelner verscheen prompt en hij schikte vier borden op elke arm, maar het negende kreeg hij niet voor elkaar.

'Dat breng jij,' beval hij Rinaldi.

Lo Chef volgde hem naar het restaurant, waar het verjaardagsfeest nu in volle gang was. De kelner gaf Rinaldi kortaf opdracht om het bord dat hij droeg bij een meisje van een jaar of zestien neer te zetten, dat aan het hoofd van de tafel zat. Om haar hals droeg ze een parelsnoer, dat misschien echt was maar misschien ook niet, en op haar gezicht lag een blijde blos die stellig echt was. Het gevoerde etui waarin het halssnoer gelegen had lag open voor haar op tafel.

Met een zwierig gebaar diende Romano Rinaldi haar bord pasta op.

'Is het uw verjaardag, *signorina*?' informeerde hij.

Het meisje knikte.

Rinaldi maakte een diepe buiging. *'Tanti auguri.* Mag ik vragen hoe u heet?'

Rood van verlegenheid haalde ze haar schouders op.

'Mi chiamo Mimì, ma il mio nome è Lucia.'

Romano Rinaldi raakte haar hand heel even licht aan, richtte zich toen op het gezelschap als geheel en barstte los in de grote tenoraria aan het einde van de eerste akte van *La Bohème,* waarbij hij geestig Rodolfo's beschrijving van zichzelf veranderde in 'Wie ben ik? Ik ben kok. Wat doe ik? Ik kook.' Dit bracht veel gelach en applaus teweeg, maar de echte vreugde voor Rinaldi bestond uit het besef dat zijn stem ideaal was voor de intieme akoestiek van deze ruimte en dat hij volmaakt zuiver zong. In de studio kon hij niet zonder microfoon en moesten zijn vocale interventies na de opnames elektronisch bewerkt worden om te laag gezongen noten te verhogen en te hoog gezongen noten te verlagen en over het algemeen om het volume op te krikken. Maar nu kon hij zonder al die trucages. Het enige dat er hier toe deed waren hoogte, bereik en stijl en die bezat hij alle drie dubbel en dwars.

Terwijl hij zich naar het einde toe zong, besefte hij met iets van tevreden verbazing dat hij zich dit niet alleen maar verbeeldde in zijn gebruikelijke dronken of stonede toestand van bedwelming. Het was echt en iedereen in het restaurant voelde dat. Het hele gezelschap viel stil, in de ban van de verhalende kracht van Puccini's melodie en de absolute pracht van de menselijke stem. Alle blikken waren in eerbiedig stilzwijgen op Rinaldi gericht terwijl hij de hele aria mateloos zelfverzekerd uit zong en zonder inspanning piekte op de moeilijke, hoge *'La speranza!'* die hij tien volle seconden aanhield – wat hem vele *'bravo's'* opleverde – alvorens zijn stem te laten dalen tot een gevoelig *pianissimo* voor de slotmaten.

Hiervoor kreeg hij een spontane, langdurige ovatie van alle aanwezigen in het restaurant. Rinaldi, met zijn schort vol sausspatten voor, reageerde op zijn publiek met dankbare buigingen. Daarna draaide hij zich om naar het overweldigde jarige meisje, kuste haar licht de hand en zweefde terug naar de keuken. Toen hij langs de pizzaoven kwam staarde Normo hem sprakeloos aan. Rinaldi glimlachte vluchtig en liep de hoek om, de gang in, waar hij meteen tegen een punk-outcast met roze haar aan knalde die uit de toiletruimte kwam.

De knul, die duidelijk dronken was, belandde op de grond. Toen Rinaldi hem een hand toestak viel hem een stroom van obscene verwensingen te beurt, maar hij negeerde ze en liep verder door de gang. In de staat van vervoering waarin hij verkeerde, kon niets hem raken. Dit was nog beter dan *la coca*! Niet alleen was hij de ster van de avond, maar hij had zojuist een fantastische ingeving gekregen die zijn carrière zou redden van de ondergang als gevolg van die rampzalige kookwedstrijd en haar tot nog groter hoogten van roem en rijkdom zou opstuwen. *Echt werk*: een nieuw concept, een nieuw programma, een nieuw boek, een nieuw...

Iets heets, nats en kleverigs spatte naast hem op de muur uit elkaar. Het straatschoffie dat hij per ongeluk omvergelopen had greep nogmaals een van de pizza's van de borden die door Normo op het buffet waren klaargezet en smeet die naar Rinaldi.

'Stronzo di merda, vaffanculo!'

'Mijn zaak uit, smeerlap die je bent!' schreeuwde Normo werktuiglijk, maar verscholen als hij zat achter het buffet, kon hij geen enkele actie ondernemen. En wat de twee kelners aangaat, zij leken niet bereid het strijdperk te betreden. De agressor pakte weer een pizza. Sluw liep Rinaldi de keuken in om het neppistool uit zijn zak te pakken. Hij wachtte tot de derde pizza plus bord tegen de deur van het toilet uit elkaar was gespat en stapte toen de gang weer in.

'Eruit!' sprak hij beslist en hij zwaaide met de loop van het pistool naar de indringer.

De knul staarde eerder gefascineerd dan bevreesd naar het wapen.

'Hé, da's mijn pistool!'

'Eruit!' herhaalde Rinaldi. Hij greep de herrieschopper bij diens linkerarm, draaide hem snel om en leidde hem vastberaden naar de deur.

Weet je nog wat ik net zei over onze handen vrij hebben om ons op het handhaven van de openbare orde te concentreren?' mompelde Zen sarcastisch tegen Bruno.

Hij wees met zijn duim over zijn schouder naar achteren. 'Hier is je kans om een grote arrestatie te verrichten die je promotie oplevert.'

De politieman rolde met zijn ogen.

'Het is maar zo'n *punkabestia*-griezel die rondhangt onder de portico van het Teatro Communale en op de Piazza Verdi. We houden ons niet erg met hen bezig. De drugsdealers nemen de echt gewelddadige types voor hun rekening, want ze hebben helemaal geen zin in rotzooi op hun stek.'

'Lo Chef kennelijk ook niet,' merkte Zen op toen de herrieschopper, op weg naar de voordeur, langs hun tafeltje kwam, geëscorteerd door de buitenlandse kok die 'Eruit! Eruit!' schreeuwde en de jongeman in de rug duwde met wat waarschijnlijk een stuk keukengerei was.

'Allejezus!' zei Bruno. 'Dat is Vincenzo Amadori.'

'Wat een charmeur!'

'Wat zullen we doen?'

Zen haalde zijn schouders op.

'Het is niet langer onze zaak, is het wel?'

'Vergeet je spullen niet, Vincenzo!'

De uitroep kwam van het vriendje van de jonge vrouw die Zen eerder die avond was opgevallen. Hij had de plunjezak van blauwe nylon die hij bij zich had gehad gepakt en wurmde zich nu tussen de tafeltjes door naar de deur.

'In die tas zou bewijs kunnen zitten,' zei Bruno nadrukkelijk. 'We moeten hem inrekenen!'

Zen stak een sigaret op. Wordt tijd om een nieuw pakje te kopen, dacht hij. De sigarenwinkels zouden inmiddels dicht zijn; dan werd het dus een automaat.

'Doe wat je niet laten kunt,' zei hij. 'Het levert een hoop papierwerk op, zeg maar dag met je handje tegen de rest van de avond en uiteindelijk strijken de carabinieri alle...'

Maar Bruno was al overeind gesprongen en weg. Ach, de jeugd!

Buiten op straat had de situatie zich al gewijzigd. De kok struikelde over de drempel en het stuk tuig dat hij de zaak uit gooide, nam dit kortstondige vaste voet verliezen van hem te baat om hem aan te vallen. Uit het hierop ontstane vechtpartijtje kwam hij te voorschijn met een automatisch pistool in zijn hand. Aurelio Zen drukte zijn sigaret uit en belde via zijn werkmobiel om de situatie uit te leggen en het bevel te geven onmiddellijk een patrouillewagen te sturen. Toen hij opstond van tafel, kwam hij in botsing met de jonge vrouw naar wie hij eerder op de avond had zitten kijken en die nu naar de deur snelde, op de hielen gezeten door de dunste van de twee kelners.

'En de rekening?' riep hij klaaglijk. 'Over de honderd euro met de champagne mee!'

Zen volgde de vrouw naar buiten, waar haar vriend onder zijn oksels werd vastgeklemd door de punkabestia-figuur, die het pistool tegen de zijkant van zijn hoofd hield.

'Weg jullie, of deze kwast gaat eraan!' schreeuwde hij.

'Politie!' zei Bruno, die zich op afstand hield en duidelijk niet goed wist wat zijn volgende stap moest zijn. 'Leg dat pistool neer! Je bent gearresteerd!'

De gewapende overvaller keurde hem nog geen blik waardig, heel zijn aandacht ging uit naar de indrukwekkende aanblik van de jonge vrouw die hem naderde.

'Laat mijn vriend nu meteen los of je krijgt met mij te doen!' riep ze, terwijl ze geen seconde de pas inhield.

Met hoge snelheid kwam er een patrouillewagen de hoek om, met knipperende lichtbalk maar met uitgeschakelde sirene. Enkele meters verder kwam hij met gierende remmen tot stilstand.

Vincenzo Amadori nam de situatie in ogenschouw, liet zijn wapen toen zakken, liet Rodolfo los en barstte in lachen uit.

'Ach, verrek!' zei hij.

Flavia nam het pistool uit zijn hand en gaf het aan Bruno. Niemand anders kwam in de buurt van Vincenzo, die op zijn benen stond te zwaaien en beurtelings zijn ogen dichtkneep en opensperde, als iemand die een mogelijk opwindende vaardigheid leert.

'Ben jij een vriend van hem?' vroeg Zen aan Rodolfo.

'Wie bent u?'

'Ik ben van de politie.'

'We delen een appartement.'

'Wat zit er in de tas?'

'Gewoon wat kleren die hij me vroeg voor hem mee te brengen.'

Terwijl Bruno, geholpen door zijn collega, Amadori de handbocien omdeed, begon Zen de inhoud van de plunjezak te doorzoeken. Hij tilde er een gestreept, roomkleurig, zijden overhemd uit van het merk Versace en hield het omhoog tegen het licht van de neonreclame van het restaurant. Op het rechter voorpaneel waren enkele bruine vlekken zichtbaar.

Zen riep Bruno bij hem te komen.

'Je zou er wel eens gelijk in gehad kunnen hebben dat er bewijs in de tas zit.'

Bruno keek naar het overhemd en was niet onder de indruk.

'Een paar wijnvlekken?'

'Laten we afwachten wat het DNA-onderzoek uitwijst. Maar als het bloed is en geen wijn, en ik heb redenen om te veronderstellen dat dit zo is, dan hebben we zowel de zaak-Curti als de zaak-Ugo teruggepikt van de carabinieri en ben jij volgende maand brigadier.'

Tony Speranza voelde zich ellendig toen hij wakker werd. Eigenlijk voelde hij zich iedere ochtend ellendig bij het ontwaken, maar aangezien hij zich nooit veel kon herinneren van de dag ervoor, en nog minder van de dagen daarvoor, kwam dit altijd weer als een verrassing.

Hij stapte huiverend uit bed en liep door naar de keuken, waar hij een flesje Budweiser opende voordat hij naar de woonkamer ging en het geluid van de tv weer aanzette, die de hele nacht had aangestaan. Er was een post-ontbijt-praatprogramma voor zich vervelende huisvrouwen aan de gang, met een hermetisch verzorgde, strak in het machtspakje gestoken stoot. Toen Tony zijn ogen ten slotte kon scherpstellen las hij in een hoek van het scherm wie ze was: Delia Anselmi, persoonlijk assistent van de beroemde ster *Lo Chef Che Canta e Incanta*.

'Romano's nieuwe idee is zo fenomenaal,' zei ze overdreven enthousiast. 'Te bedenken dat hij echt incognito heeft gewerkt in een gewoon buurtrestaurantje om onderzoek te doen voor deze fantastische nieuwe serie. Teruggekeerd naar zijn wortels, zoals hij het gisteravond tegen me zei, Stella. Ik vind dat je moet weten dat hij erbij huilde.'

De weelderig gevormde, genetisch gemodificeerde presentatrice straalde.

'Wat geweldig, Delia. Ik wil dat jullie twee weten dat wij ook allemaal huilen, maar het zijn tranen van vreugde die we huilen.'

'Heerlijk dat je me dat vertelt, Stella! Dat ontroert me echt en ik weet zeker dat Romano er ook door geroerd zal zijn. Je hebt er natuurlijk het volste begrip voor dat ik de lokatie niet kan prijsgeven van het restaurant waar Romano besloten heeft terug te gaan naar "zijn diepste wortels", zoals hij het tegenover mij uitdrukte. Dat zou de integriteit en de authenticiteit van het hele gebeuren in gevaar brengen, maar het heeft ook juridische redenen die voortvloeien uit Romano's heroïsche en beslissende tussenkomst in de dramatische arrestatie van Lorenzo Curti's moordenaar gisteravond. Maar binnenkort zullen we hem daar filmen, vlieg-op-de-muurstijl, en deze nieuwe serie, *Echt werk*, zal...'

'... exclusief op deze zender worden uitgezonden,' interrumpeerde de presentatrice.

'... in het begin van de herfst. Het is zo'n geweldig innoverend idee dat ik zeker weet dat het een volslagen verandering teweeg zal brengen in de hele manier waarop we kijken naar...'

Tony Speranza zette het geluid uit en slofte naar zijn telefoon. Geen berichten van de familie Amadori, ondanks dat hij gisteren de boel op scherp had gesteld door de questura te bellen en Vincenzo te verlinken als zijnde de belager van Edgardo Ugo. Het kon natuurlijk zijn dat de ouders dit nog niet wisten. De politie werkte zo inefficiënt. Hij ging weer naar de keuken en verruilde de Bud voor een Jack Daniels, waarna hij terugslofte om voor de tv neer te ploffen. Hij surfte naar een nieuwszender die het hele etmaal in de lucht was en nu beelden liet zien van een gebotoxte presentatrice die een microfoon met haar lippen bewerkte alsof het een fallus was. 'Supersmeris uit Rome lost zaak-Curti op' luidde de kop. Tony's hand schoot naar de afstandsbediening.

'... kan bevestigen dat Vincenzo Amadori zich in hechtenis bevindt. Hij zal later vandaag voorgeleid worden in verband met de moord op Lorenzo Curti en ook met het neerschieten van professor Edgardo Ugo. Technisch onderzoek maakte duidelijk dat het wapen dat bij deze twee misdrijven werd gebruikt, het wapen is dat de verdachte in bezit had op het moment van zijn arrestatie gisteravond laat door een topteam van de Polizia di Stato, met aan het hoofd vice-questore Aurelio Zen. Op een persconferentie, eerder vanmorgen, verklaarden dottor Zen en *commissario* Salvatore Brunetti, die het onderzoek leidde...'

Tony zette het geluid weer uit en keek terneergeslagen naar beelden van twee mannen, de ene in politie-uniform, de ander in een pak en overjas, die een groep journalisten te woord stonden. Fuck, dacht hij. Fuck, fuck, fuck, fuck, fuck. Daar ging zijn pensioenplan.

Toen kreeg hij een idee.

Het was een uur of elf toen Tony Speranza op de questura arriveerde. Over de hele stad lag een deken van koude, zware smog. Tony droeg een kobaltblauw pak met een donkerblauw overhemd en dito stropdas en zwarte brogues. Hij zag er keurig uit, was gladgeschoren en redelijk nuchter, en het kon hem geen bal schelen of iemand dat wist. Hij was op en top de goedgeklede privédetective. Hij kwam een miljoen euro opeisen.

Tony vertelde de brigadier van de wacht wat hem daar bracht. Deze vroeg hem te wachten, waarop hij fluisterend een aantal telefoongesprekken voerde. Ongeveer vijf minuten later kwamen er twee bewapende politiemannen naar de balie.

'Commissario Brunetti kan u nu ontvangen, signor Speranza,' zei de brigadier met toonloze stem.

De twee politiemannen begeleidden hem toen hij de brede trap naar de eerste verdieping op liep. Geen van beiden sprak tegen hem of keek hem aan, maar hij was tevreden – trots zelfs – over hun aanwezigheid. Het bewees dat hij eindelijk serieus genomen werd, het respect kreeg dat hij verdiende.

Nadat ze een laterale gang waren overgestoken, leidden ze hem binnen in een groot kantoor. Er waren twee mannen aanwezig. Tony herkende hen als het duo dat hij vanmorgen in het nieuwsbericht op tv had gezien. Nog beter! Hij ging regelrecht naar de top!

De kleinste van de twee mannen keek hem aan, maar nodigde hem niet uit te gaan zitten.

'We begrijpen dat u gekomen bent om de beloning op te eisen die de familie Curti aanbood voor informatie die leidde tot de arrestatie van de moordenaar,' zei hij.

'Klopt.'

'Nu wil het geval dat degene van wie wij denken dat hij de moordenaar is zich reeds in hechtenis bevindt. Dus op welke grond maakt u aanspraak op de beloning?'

Op weg hierheen had Tony deze scène vele keren gerepeteerd en hij had zijn antwoord klaar.

'Uw bewijsmateriaal tegen Vincenzo Amadori hangt op het feit dat hij ten tijde van zijn arrestatie het pistool vasthield dat werd gebruikt om niet alleen Curti maar ook professor Edgardo Ugo neer te schieten. Dat is niet meer dan bewijs uit aanwijzingen. Ik daarentegen ben in het bezit van hard bewijsmateriaal dat Amadori inderdaad ter plekke was op het tijdstip dat Ugo werd neergeschoten. Op grond van de informatie waarover ik beschik, kan er geen twijfel over bestaan dat hij veroordeeld zal worden voor die misdaad. Maar aangezien hetzelfde wapen bij beide incidenten werd gebruikt én in Amadori's bezit was mogen we afleiden dat hij ook Curti heeft neergeschoten. Dat wordt een duidelijke en uitgemaakte zaak.'

Nu sprak de langste van de twee.

'En waaruit bestaat deze informatie dan wel, signor Speranza?'

Tony lachte een beetje om aan te geven dat hij niet van gisteren was.

'Ik ben vanzelfsprekend alleen bereid de volle omvang ervan te openbaren nadat de familie Curti akkoord is gegaan met uitbetaling van de beloning. Maar ik kan wel vertellen dat er elektronische observatietechnieken met een bijgehouden computerverslag een rol in spelen en dat het in de rechtszaal overeind zal blijven.'

Hij glimlachte naar de twee functionarissen.

'We hebben het hier over het informatietijdperk-equivalent van bloed aan de handen.'

De lange keek snel naar de geüniformeerde politiemensen, die in de kamer waren gebleven en Speranza flankeerden.

'Goed,' zei hij met een zucht. 'Neem hem mee naar de kelder en pers het uit hem. De hele behandeling als het moet, oké? Op zijn laatst vanmiddag om drie uur wil ik alle details. De dingen waarvan hij is vergeten dat hij ze wist incluis.'

De uniformen vielen aan en grepen Speranza elk bij een arm op een manier die in pulpfilms geacht werd gemeen te zijn. En inderdaad voelde het heel gewelddadig.

'Maar... maar... maar..' sputterde Tony.

De functionaris glimlachte ondoorgrondelijk.

'De misdadiger begaat altijd een fatale fout,' zei hij. 'U komt hier een beloning opeisen omdat u over het bewijs beschikt dat degene die Lorenzo Curti vermoordde met hetzelfde pistool eveneens op Edgardo Ugo schoot.'

'Maar dat is ook zo!'

De ander knikte.

'Het is zeker zo. Wat u echter over het hoofd heeft gezien is dat het uw pistool is.'

Tony keek hem volslagen verbijsterd aan.

'Het mijne? Maar hoe kunt u dat weten?'

'Ah, dat zou heel wel enige tijd hebben kunnen duren. Het wapen was vrijwel zeker verkregen op de zwarte markt en het was niet officieel geregistreerd. Gelukkig evenwel, beschikten we over een aanwijzing die ons ten slotte, na een slapeloze nacht en ampele overweging die ons kunnen op de proef stelde als nooit tevoren, naar de onweerlegbare waarheid leidde.'

Tony lachte dapper.

'U bluft! Wat voor aanwijzing dan?'

'Uw naam is op de loop gegraveerd, signore,' zei Aurelio Zen.